Le Pendule

COFFRET-KIT

Sig Lonegren

Le Pendule

COFFRET-KIT

FRANCE LOISIRS

123, boulevard de Grenelle, Paris

Titre original de cet ouvrage :
THE PENDULUM KIT

Traduction-adaptation :
Sylvaine Charlet

© 1990, Eddison Sadd Editions, Londres, pour la version originale
© 1990, Sig Lonegren, pour le texte original
© 1990, Éditions Solar, Paris, pour la traduction-adaptation française
Édition du Club France Loisirs, Paris,
avec l'autorisation des Éditions SOLAR

ISBN : 2-7242-5258-6
N° d'éditeur : 19868
Dépôt légal : juin 1991

Photocomposition : SCP, Bordeaux
Imprimé à Frome et Londres, Angleterre, par Butler & Tanner Ltd.

SOMMAIRE

AVANT-PROPOS

L a radiesthésie n'est pas seulement un art : c'est une science. Elle est un des outils qui permettent de jeter un pont entre l'esprit analytique et l'intuition. Nombreux sont les gens qui cherchent actuellement les voies menant à un meilleur équilibre des potentialités humaines, notamment celles qui exploiteraient davantage notre nature intuitive. La pratique de la radiesthésie, au moyen du pendule, est une de ces voies simples et naturelles. Essayons d'abord de définir la radiesthésie : c'est l'interprétation des mouvements du pendule afin de répondre aux questions posées. Cette quête de la « réponse » à travers les mouvements du pendule fait appel aux facultés intuitives de l'individu, ou à ses talents divinatoires, selon le vocabulaire employé par certains adeptes.

Mes premières expériences en radiesthésie remontent à plus de vingt-cinq ans, lorsque ma mère m'apprit à localiser les conduites d'eau qui couraient sous notre pelouse, au moyen de cintres recourbés (système de « baguettes » en forme de L : voir le descriptif en fin de volume). Depuis lors, mes travaux ont essentiellement porté sur ce que nous appellerons les « mystères souterrains » (prospection du sous-sol), grâce auxquels j'ai obtenu mes diplômes et suis entré comme membre de la Société américaine de radiesthésie.

Durant ces quinze dernières années, nous avons assisté à une véritable révolution dans la découverte des possibilités pratiques de la radiesthésie. Nous sommes déjà à des années-lumière du temps, pourtant pas si éloigné, où la radiesthésie n'était utilisée que par les puisatiers pour trouver l'eau potable. Aujourd'hui, les manuels de radiesthésie abondent dans les librairies. Certains sont même trop complexes pour l'amateur débutant. D'autres sont de qualité médiocre et se cantonnent à indiquer les moyens de trouver les sources. Cet ouvrage a été spécialement rédigé à l'intention des personnes attirées par ce phénomène très ancien, qui n'en connaissent aucun des arcanes, mais qui souhaitent se renseigner sur les diverses techniques de radiesthésie existantes.

J'ai pris pour principe de base que vous n'avez encore jamais pratiqué la radiesthésie. Par conséquent, cet ouvrage vous proposera de nombreux exercices. Vous pourrez ainsi devenir un adepte compétent. Ce coffret contient un pendule (c'est-à-dire l'un des outils de base de la radiesthésie). Mais si vous disposez de ce livre en seconde main et si le premier lecteur a conservé pour lui le pendule, sachez qu'il vous sera facile d'en fabriquer un vous-même. Prenez un fil d'une longueur de 30 centimètres environ, au bout duquel vous attacherez un poids quelconque, à condition qu'il soit parfaitement équilibré — une bague assez lourde, un écrou hexagonal, etc. Je vous recommande de fabriquer votre pendule avant de vous plonger dans la lecture du premier chapitre de cet ouvrage, car vous trouverez tout de suite des paragraphes consacrés aux conseils pratiques d'utilisation ; des explications du phénomène ; des chartes témoins ; des méthodes nouvelles pour associer l'astrologie à la radiesthésie et étendre ainsi votre connaissance de vous-même ; une présentation des autres instruments utilisés en radiesthésie ; un exposé de la controverse qui oppose la radiesthésie et la science ; et, enfin, les références des manuels intéressants et des sociétés de radiesthésie.

Permettez-moi d'insister sur le fait que vous devez absolument faire *tous* les exercices *au fur et à mesure* qu'ils se présentent. En effet, lorsque vous aurez achevé la lecture de cet ouvrage, et si vous avez fait tous les exercices, chronologiquement, vous constaterez avec joie que vous avez acquis une nouvelle faculté, celle de diriger consciemment votre sens intuitif dans le processus de prise de décisions pratiques. Bienvenue, cher lecteur, dans ce monde merveilleux, si nouveau pour vous et pourtant aussi vieux que l'humanité.

Sig Lonegren
20 avril 1989
Pleine Lune

CHAPITRE 1

QU'EST-CE QUE
LA RADIESTHÉSIE ?

C'était par une de ces belles journées ensoleillées, qui, comme dans un livre d'images enfantines, rendent l'herbe plus verte et les nuages boursouflés semblables à de grosses balles de coton immaculé. Nous étions sur la pelouse en compagnie de quelques amis, jouissant simplement ensemble de la qualité de l'air. Sans s'en rendre compte, ma femme Kathy s'était mise à jouer avec son alliance, anneau d'or qui venait de ma grand-mère. Tout à coup, elle s'aperçut qu'elle ne l'avait plus. Mais où chercher ? Nous quadrillâmes aussitôt le gazon et tout le monde se mit à quatre pattes pour commencer une exploration minutieuse à tâtons.

Soudain, je me rappelai que j'avais mon pendule dans ma poche. J'utilise un pendule en forme de boule — un poids d'acier d'environ 3 centimètres de diamètre et dont l'extrémité est pointue. Il est relié à une chaînette d'une quinzaine de centimètres de long.

Tandis que je tenais la chaîne dans ma main et que le pendule tremblotait sous mes doigts, toutes sortes de pensées se bousculèrent dans ma tête : « Cette alliance était celle de ma chère grand-mère... Elle appartenait à présent à Kathy, pour qui elle représentait également quelque chose d'important... Il fallait absolument que le pendule s'exprimât davantage... sinon la bague était peut-être à jamais perdue... Que faire ?... Concentrons-nous. Dans quelle direction se trouve la bague de Kathy ?... »

Le pendule commença à se balancer d'avant en arrière, suivant une direction située légèrement sur la gauche. « Est-elle à présent en face de moi ? » Le pendule se mit à tourner dans le sens des aiguilles d'une montre, ce qui pour moi veut dire *oui*. J'éprouvai aussitôt une espèce de picotement au niveau de la nuque : c'est ainsi que mon corps me signale que je suis sur la bonne piste.

Je notai mentalement la direction indiquée par le pendule et fis quelques pas vers la gauche. Je posai encore la question : « Dans quelle direction se trouve la bague de Kathy ? » Cette fois, le pendule commença à osciller d'avant en arrière, montrant la voie, c'est-à-dire pratiquement en face de moi. Par la pensée, je « visualisai » la première ligne proposée par le pendule, puis je pris note de la seconde. L'anneau perdu devait se situer à l'intersection des deux lignes. Je tendis la main vers ce point en saisissant méthodiquement chaque touffe d'herbe. C'est alors que je sentis entre mes doigts le métal glacé de la bague. Comment avais-je réussi ? Comment un pendule en acier avait-il pu m'amener sur le lieu exact où se cachait un objet de valeur égaré ? Quelle était donc la nature de ce phénomène que l'on nomme la radiesthésie et comment fonctionnait-il ?

Je dois d'abord préciser que si la radiesthésie est un moyen étonnant pour retrouver les objets perdus, elle se présente également comme une des voies royales permettant d'harmoniser en soi les facultés de raison et d'intuition. C'est une fabuleuse méthode d'investigation des ressources de l'inconscient, une technique pour obtenir des réponses aux questions auxquelles une pensée purement rationnelle ou scientifique ne peut répondre. Et pourtant, le processus de la pensée rationnelle fait partie intégrante de celui de la radiesthésie.

Je vous propose donc d'étudier de plus près avec moi la pratique de la radiesthésie — ou divination, selon le terme employé par certains. Avant tout, sachez qu'il n'y a pas de différence entre les mots « radiesthésie » et « divination ». C'est la même chose. Dans ce livre, j'ai opté pour le terme « radiesthésie », uniquement parce que c'est le plus employé.

Commençons tout de suite en apprenant à reconnaître deux mouvements du pendule, c'est-à-dire deux réponses (*oui* et *non*) que votre intuition peut utiliser afin de communiquer avec votre esprit conscient. En étudiant le phénomène de la radiesthésie, nous serons amenés à considérer l'opposition qui existe entre les hémisphères gauche et droit du cerveau et les voies de la « connaissance », selon certains premiers chrétiens hérétiques, appelés les gnostiques, dont la philosophie peut nous aider à mieux comprendre le processus. Nous analyserons plusieurs théories tentant d'expliquer le phénomène général, parmi lesquelles nous aborderons une intéressante analogie

avec la technique du radar et une comparaison avec les principes de l'hologramme.

LES EXERCICES

Tout au long de cet ouvrage, nous ferons des exercices pratiques.

*Ces exercices seront imprimés en italique, comme cette phrase, afin de vous rappeler
que vous ne devez pas vous contenter de lire le paragraphe correspondant.*

Afin de tirer pleinement bénéfice de cette étude, vous devez vous astreindre
à y participer activement. Vous ne pouvez apprendre à manipuler un pendule
simplement en lisant un manuel à son propos. Vous devez pratiquer, encore
et encore. Ce coffret contient l'ustensile dont vous avez besoin, c'est-à-dire
un pendule conique en cuivre, attaché à une cordelette.

Premier exercice : il nous faut commencer par définir les trois réponses
différentes communiquées par le pendule. La première est appelée la *position
de recherche*. C'est la position ou l'attitude qui signifie : « Je suis prêt ».

Tenez votre pendule comme ceci.

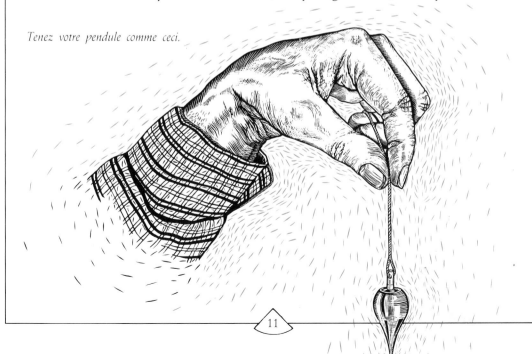

Placez votre main de telle sorte que le pouce et l'index soient dirigés vers le sol, tout en laissant pendre le fil du pendule. Laissez une distance d'environ 5 centimètres de fil entre le bout de vos doigts et la masse du pendule.

La *position de recherche* devra précéder toutes les autres opérations de recherche que vous apprendrez à effectuer au cours de cet ouvrage. L'usage du pendule n'implique pas des réactions universelles. En fait, chaque adepte doit définir sa propre *position de recherche*. Habituellement, c'est l'une ou l'autre des deux réactions suivantes : ou bien il ne se produit aucun mouvement (le pendule pend au bout de son fil comme un poids mort), ou bien il se balance d'avant en arrière, c'est-à-dire de vous vers la direction qui vous fait face. Ces deux réactions sont considérées comme des positions de recherche.

Prenez et tenez votre pendule comme indiqué sur la figure et dites-lui : « Montre-moi ma position de recherche. Je veux connaître ma position de recherche. »

A présent, définissons le *oui*. Encore une fois, il n'y a pas de réponse universelle pour signifier *oui* ; cependant, la plupart des radiesthésistes obtiennent une de ces deux réactions : si la position de recherche est l'immobilité, certains obtiennent un *oui* sous forme de balancement d'avant en arrière, d'autres lisent *oui* dans un mouvement circulaire allant dans le sens des aiguilles d'une montre.

Tenez votre pendule en position de recherche et posez-lui la question suivante : « Au printemps, lorsque l'herbe commence à pousser, est-elle verte ? Bien sûr, vous savez que la réponse à cette question sera oui. Par conséquent, observez attentivement votre pendule afin de noter toute différence par rapport à la position ou à l'attitude précédentes (la position de recherche). Vous pouvez également poser la question de façon plus directe : « Indique-moi oui, indique-moi oui ! »

Si votre pendule semble vouloir ne pas bouger d'un pouce, obligez-le à remuer, de préférence dans le sens des aiguilles d'une montre. Ce faisant, dites-vous à vous-même (ou à haute voix pour mieux imprégner votre subconscient) : « Ceci est oui, ceci est le positif, le yang, le oui. »

Voyons à présent le *non*. Si votre *oui* était un balancement d'avant en arrière, peut-être obtiendrez-vous un *non* sous forme d'un balancement de gauche à droite semblable à votre mouvement de tête lorsque vous voulez signifier la négation. Mais si votre *oui* était un mouvement circulaire, attendez-vous que votre *non* observe également un mouvement tournant, mais dans l'autre sens cette fois. Essayez de trouver votre *non* avec l'exercice suivant.

Tenez votre pendule en position de recherche, et posez cette question : « La neige est-elle verte ? » Ici encore, vous connaissez par avance la réponse, aussi devez-vous observer de près votre pendule afin de noter toute modification par rapport à sa position de recherche initiale (et qui ne signifierait pas oui). Vous tenez alors votre non.

Imaginons que rien ne se produise. Ne vous inquiétez pas. Nombreux sont les débutants qui ont un certain mal à obtenir que le pendule se mette de lui-même en mouvement. Aussi, je suggère que vous fassiez tourner le pendule dans le sens inverse des aiguilles d'une montre et que vous vous disiez : « Ceci est non, c'est la passivité, le yin, le non. »

Si vous prenez la peine de faire régulièrement les exercices décrits ici, c'est-à-dire plusieurs fois par jour, et ce durant une semaine, il est impossible que vous n'obteniez pas de résultats. Le fait est que vous apprenez progressivement à communiquer avec votre inconscient. Vous devez donc établir les règles de ce dialogue. Peu importe d'ailleurs la nature de ces règles, l'essentiel étant que vous en ayez et que vous vous y conformiez ; jusqu'ici, vous disposez de trois signaux : *recherche, oui* et *non*.

LES HÉMISPHÈRES GAUCHE ET DROIT DU CERVEAU

Nous vivons actuellement dans un monde où l'on privilégie la pensée rationnelle. Lorsque nous étions écoliers, nous devions débattre de questions telles que : « Si le diamètre d'un cercle est de 4, quelle en est la circonférence ? » Mais si la question de savoir qui avait découvert le Mexique était importante, personne ne semblait vraiment désireux de connaître les sentiments des Aztèques lorsqu'ils comprirent que Cortés et ses conquistadors allaient les passer au fil de l'épée. Nous avons tendance à considérer l'Histoire comme une série d'événements et d'effets. On nous a appris à analyser, à obéir aux ordres et à donner la « bonne » réponse aussi souvent que possible, mais très peu d'enseignants semblaient être concernés par la nécessité de développer en nous notre intuition. Subversif, probablement...

Au cours des dix ou quinze dernières années, des savants ont écrit une foule d'ouvrages sur les fonctions des deux hémisphères de notre cerveau. L'hémisphère gauche, selon toute apparence, gouverne la moitié droite du corps ainsi que notre sens analytique, ou linéaire. Si vous recevez un choc qui entraîne la paralysie de la moitié droite de votre corps, vous ne pouvez plus parler — le langage étant une activité linéaire : le sujet doit venir avant le verbe et celui-ci avant le complément d'objet direct. L'hémisphère droit du cerveau gouvernerait, quant à lui, le côté gauche du corps et serait le siège des aptitudes intuitives, ou subjectives, ainsi que des facultés de synthèse. C'est cet aspect de notre être qui reconnaît les autres gens. En effet, lorsque vous regardez quelqu'un, vous ne détaillez pas son nez, ses lèvres, ses yeux et ses cheveux en disant : « Oh ! c'est toi, Jacques ! » La fonction linéaire n'a pas ici à intervenir. Bien au contraire, nous devons appréhender la personne dans sa totalité, et nous savons qui elle est. Il est à peu près sûr également que l'hémisphère droit du cerveau gouverne nos possibilités intuitives, même si les recherches les plus récentes insistent sur le fait qu'il est un peu simpliste de définir l'hémisphère gauche comme celui de la rationalité et l'hémisphère droit comme celui de l'intuition. Mais nous continuerons à user de cette métaphore, qui a du moins le mérite d'être claire.

Notre nature rationnelle est très bien entretenue — trop bien nourrie même ; en revanche, pour beaucoup d'entre nous, nos facultés intuitives, subjectives meurent littéralement d'inanition. Mais de plus en plus de gens s'éveillent à la nécessité de parvenir à un meilleur épanouissement, en développant la part intuitive endormie au plus profond de leur être.

Savoir quelque chose revient à pouvoir le démontrer au moyen d'une méthode scientifique. Le verbe connaître vient du latin *gnoscere* : connaître, savoir.

Mais *gnoscere* possède un autre sens, perdu ou oublié avec le temps. Les premiers chrétiens hérétiques qu'on appelle les gnostiques exprimaient des visions de l'existence qui effrayaient et agressaient les membres de l'Église officielle. Parmi ces idées révolutionnaires, citons celle qui consistait à considérer les femmes comme les égales des hommes ! A ce titre, d'ailleurs, les femmes participaient de plein droit aux réunions des gnostiques. De telles assertions n'étaient pas spécialement prisées par les premiers Pères de l'Église. Les débuts historiques de l'Église chrétienne font en effet référence à un système « patriarcal », du latin *pater*, qui veut dire « père ». A cette époque, il n'y avait pas place pour l'énergie de type féminin, c'est-à-dire l'intuition.

Les gnostiques essayaient d'approcher les sphères spirituelles de façon directe et individuelle. S'ils écoutaient tous les enseignements, ils n'en concluaient pas moins que la responsabilité spirituelle de chacun se situe à l'intérieur de soi. Les gnostiques ne pouvaient pas accepter l'idée qu'une seule et unique personne s'érige en arbitre suprême sur le siège de Rome et décide de ce qui doit être spirituellement valable pour les uns et les autres. Ils venaient en fait d'accéder directement et individuellement à l'expérience spirituelle et pouvaient, en conséquence, décider eux-mêmes et chacun pour soi de ce que serait leur propre réalité et du chemin pour y parvenir. Ils réclamaient comme droit inaliénable, pour chaque individu, celui de savoir *reconnaître* le vrai du faux selon son être profond.

Lorsque nous avons une *connaissance intuitive* de quelque chose, il est généralement impossible de la prouver au moyen d'une démonstration rationnelle. Quand on *sait* que Dieu existe, cela n'implique pas que l'on puisse sentir, goûter, voir, entendre ou toucher Dieu ; cette connaissance ne vient pas des sens physiques. Dans ce cas, le mot *savoir* fait appel non pas à la rationalité, mais aux facultés intuitives. La radiesthésie est une méthode permettant d'accéder à la *connaissance intuitive*.

Comme je l'ai déjà expliqué précédemment, la radiesthésie est à la fois un art et une science. Un bon radiesthésiste doit être à la fois un bon scientifique (rationalité) et un bon praticien (intuition). Avant toute chose, vous devez être capable de poser la bonne question. Par exemple, si des amis ont besoin de creuser un nouveau puits, vous ne pouvez pas vous rendre sur le terrain et demander : « Où se trouve la source la plus proche ? »

En effet, vous pourriez fort bien détecter une source toute proche, mais coulant à plus de 200 mètres de profondeur, débitant à peine 5 mètres cubes d'eau à l'heure, empestant le soufre et tarissant régulièrement d'avril à septembre ! Aussi, au lieu de demander où se trouve la source la plus proche, vous devez formuler la question de cette façon : « Je dois creuser ce puits moi-même. Où donc se situe la source d'eau potable la plus proche qui ne serait pas à plus de 6 mètres de profondeur et qui coulerait en abondance, même pendant la saison chaude ? » Voilà la bonne formulation, que nous qualifierons de « scientifique ».

Considérons à présent l'aspect intuitif de cet art, c'est-à-dire celui qui sollicite la partie de votre cerveau qui appréhende les choses de façon directe (sans passer par le raisonnement). En un sens, il vous faut faire momentanément abstraction de l'hémisphère gauche de votre cerveau, cette usine à analyse, pour ne plus laisser en fonction que la partie droite, celle de l'intuition, grâce à laquelle vous pourrez *connaître* la réponse. Cet outil qu'est la radiesthésie peut vous fournir la meilleure réponse. Un bon sourcier, selon l'appellation traditionnelle, obtient des résultats positifs dans 85 à 90 pour cent des cas !

Mais, me direz-vous, pourquoi accorder tant d'importance au phénomène intuitif ? J'ai longtemps pensé que nous vivions dans un monde où l'esprit rationnel était à même de résoudre tous nos problèmes. Et beaucoup de gens le croient encore. Pourtant, l'expérience nous démontre chaque jour davantage que ce n'est pas ainsi que les choses fonctionnent. Depuis Archimède et sa découverte du principe des vases communicants, alors qu'il prenait son bain (c'est ainsi qu'il immortalisa son fameux cri de victoire : « Eurêka » — « J'ai trouvé ! »), jusqu'à nos plus performants hommes d'affaires qui, des études le prouvent, « inventent » ou captent des idées inspirées et nouvelles, l'intuition a joué un rôle essentiel dans le développement de la pensée, de la raison et de l'esprit analytique de l'homme occidental.

Albert Einstein est un autre excellent exemple. Son esprit procédait par inspirations soudaines. J'ai vécu quelque temps dans une maison appartenant à Luther Eisenheart, qui faisait partie de l'équipe de mathématiciens travaillant avec Einstein à l'université de Princeton. J'appris ainsi que, durant ses études, Einstein n'avait pas obtenu de résultats particulièrement brillants en mathématiques. Son cerveau fonctionnait par à-coups, par accès de créativité, autant dire à présent par traits de génie. Et c'était au professeur Eisenheart que revenait régulièrement la tâche de parachever les formules et les équations qui devaient relier les trouvailles éparses d'Einstein.

La radiesthésie peut, elle aussi, apparaître comme une suite de soubresauts irrationnels. Elle donne des réponses qui ne paraissent pas accessibles (du moins pour un certain temps encore) à la raison rationnelle. Le sourcier ne peut ni voir, ni toucher, ni sentir, ni entendre, ni goûter un cours d'eau souterrain, et pourtant il sait le détecter. La radiesthésie nous maintient au-delà de l'esprit purement rationnel et, cependant — et cela est très important —, elle n'exige pas de l'adepte qu'il rejette totalement la pensée rationnelle. Le problème n'est pas de savoir si l'intuition exclut la raison. La radiesthésie requiert les deux aptitudes. Il faut formuler la question en termes exacts (hémisphère gauche), puis laisser l'intuition œuvrer pour atteindre ou « capter » la réponse (hémisphère droit). De plus, il faut savoir que la radiesthésie peut s'appliquer à tous les sujets qui vous préoccupent ; à cet égard, vous n'êtes limité que par votre imagination. Outre les sources d'eau potable, les radiesthésistes travaillent actuellement sur les gisements de pétrole, de minerais, sur la recherche de trésors et de personnes disparues, les problèmes de santé, les nouvelles sources d'énergie terrestre et mille autres sujets, tangibles ou non.

De nombreux praticiens ne se contentent pas de cibler des objets physiques, mais s'exercent à trouver des réponses par *oui* ou par *non* à des questions telles que : « Cette poire est-elle mûre ? » ou bien « Mon existence a-t-elle pris à présent une direction positive ? » Nous étudierons principalement cet aspect du travail au long de cet ouvrage — comment obtenir les réponses à des questions qui soulèvent des problèmes importants dans notre propre existence.

COMMENT FONCTIONNE LA RADIESTHÉSIE ?

C'est certainement une brûlante question que vous vous posez tous. La réponse la plus honnête serait de dire que personne n'en sait rien, mais qu'il existe diverses théories tentant d'expliquer le phénomène. La première compare la radiesthésie à un radar. A la recherche d'une source souterraine, il est probable que, tel un radar, le radiesthésiste envoie une sorte de signal correspondant à la longueur d'onde de l'objet convoité. Quand il atteint sa cible, le signal qu'il a émis rebondit sur elle et retourne vers le radiesthésisteémetteur, provoquant les mouvements du pendule. Une autre interprétation voudrait que la source elle-même envoie des signaux ou ondes captables par le radiesthésiste : le pendule ne fait plus alors qu'amplifier le message.

Mais comment des signaux, ou des émanations venant des profondeurs de la Terre, peuvent-ils expliquer le fait que le radiesthésiste réponde par *oui* ou par *non* à une question telle que : « Mon existence a-t-elle pris à présent une direction positive ? » Comment un sourcier peut-il détecter un cours d'eau débitant 20 litres à la minute, et ce tous les mois de l'année ? Le principe du radar, du moins tel que nous l'entendons ici, ne peut pas rendre compte du phénomène dans son ensemble. En effet, le radar est capable de détecter des objets existant réellement, mais il ne peut pas plonger dans le passé ou le futur. Il ne peut pas révéler, par exemple, le débit antérieur d'une source et combien elle produira de mètres cubes dans l'avenir. C'est pourquoi, soit le radar n'a aucun rapport avec le phénomène de la radiesthésie, soit il n'est qu'un de ses multiples modes de fonctionnement.

Une autre théorie, pour tenter d'expliquer la radiesthésie, s'est penchée sur l'hologramme. Contrairement au négatif photographique normal, le négatif holographique s'apparente à des ronds dans l'eau qui se forment lorsque l'on y jette des cailloux — une série de cercles concentriques s'interpénétrant. Si vous déchirez un morceau du négatif photographique et en faites un tirage, vous n'obtiendrez qu'une partie de l'image ; mais si vous déchirez un bout de négatif holographique et le soumettez à un rayon laser adéquat, vous obtiendrez l'objet dans sa totalité.

On peut imaginer que l'univers ne soit qu'un immense négatif holographique et que nous-mêmes ne soyons qu'une infime partie de ce négatif, que nous portons cependant dans son ensemble, à l'intérieur de nous-mêmes. Et si Dieu s'y trouve, Dieu étant omniscient, alors, bien sûr, nous pouvons trouver la réponse à la question : « Cette source coulera-t-elle en abondance toute l'année ? »

Si nous sommes une partie de l'hologramme universel, toutes les réponses que nous cherchons se trouvent en nous-mêmes. Les initiés à la méditation diront que cela est parfaitement logique. En nous servant du modèle holographique, nous pouvons affirmer que, quelque part en nous, se situe le minuscule morceau d'hologramme détenant la réponse à toute question. En conséquence, le modèle holographique suggère l'idée que les réponses proviennent de l'être profond de chaque radiesthésiste. Un signal, né dans les mystères de l'esprit intangible, remonte à la surface de la matière incarnée pour s'élancer vers l'objet recherché ; lorsqu'il atteint la cible, il retourne vers sa source, c'est-à-dire l'inconscient du radiesthésiste. Une autre explication possible décrit la radiesthésie comme une connexion, un « branchement » avec une sorte de « grande bibliothèque universelle », un ciel intelligible où seraient enregistrés tous les faits et connaissances, passés et futurs.

Le pendule est un instrument qui peut aider à nous ouvrir à notre nature intuitive. Pour qu'il opère efficacement, nous devons faire appel à la fois à la raison et à l'intuition. Les gnostiques étaient passés maîtres dans l'art d'utiliser l'intuition. Aujourd'hui, la radiesthésie peut nous mener vers ce type d'accomplissement. Mais comment la radiesthésie fonctionne-t-elle ? La réponse la plus juste réside certainement dans l'éventail des explications que nous venons d'exposer, car en réalité nous n'en savons rien. A maintes reprises, et pour différentes raisons, nous avons constaté que la radiesthésie semblait fonctionner de diverses manières, souvent contradictoires. Nous avons établi des comparaisons avec de nombreux médiums en incluant notamment la théorie du radar et celle de l'hologramme, mais, d'un point de vue pratique, le résultat est qu'il n'est pas primordial de savoir comment la radiesthésie fonctionne ; l'important est qu'elle fonctionne.

Commencez par refaire ces simples exercices : tenez le pendule entre le pouce et l'index et dites : « Montre-moi ma position de recherche. »

Quand vous avez obtenu la réponse, dites : « Montre-moi oui. » Observez-bien les mouvements du pendule et dites : « Ceci est oui, le positif, le yang, le oui. »

Maintenant, essayez de dire : « Montre-moi non », puis dites : « Ceci est non, la passivité, le yin, le non. »

Souvenez-vous que vous devez absolument faire et refaire les exercices décrits ici. Parfois, on vous demandera de laisser le texte de côté et de vous livrer à d'autres exercices. Autant que possible, faites les exercices au fur et à mesure que vous avancez dans la lecture.

CHAPITRE 2

PREMIÈRES EXPÉRIENCES AVEC LE PENDULE

I n'y a pas de règle universelle pour pratiquer la radiesthésie ; en revanche, il existe un code qui n'est valable que *pour vous* et que vous découvrirez progressivement, mais avec précision, en vous exerçant régulièrement. Vous créerez ainsi votre propre méthode. Ce livre ne peut que vous offrir diverses suggestions pour vous aider, par l'expérience personnelle, à établir les règles strictes mais efficaces de votre propre technique. Par exemple, il vous faudra définir de quelle main vous manipulerez votre pendule.

Une autre réponse du pendule reste à définir : celle qui signifie *peut-être* ou que vous avez posé une mauvaise question. Lorsque vous posséderez bien les réponses *oui, non* et *peut-être*, vous pourrez affiner votre technique.

Parmi les pratiques préliminaires de la radiesthésie, celle qui consiste à se mettre en état, à « capter », à se brancher sur la bonne longueur d'onde est certainement une des plus importantes. Là encore, il n'existe aucune règle universelle, mais je peux vous proposer une approche qui vous aidera à obtenir de bons résultats. Vous trouverez ensuite des exercices pratiques à faire sur des pièces de monnaie ainsi qu'un exposé des raisons pour lesquelles la radiesthésie échoue dans certains cas. Comme le pendule est également capable de vous indiquer une direction, vous aurez, à la fin de ce chapitre, à faire des exercices utilisant la recherche de l'axe ainsi qu'une méthode de triangulation pour localiser un point géographique précis.

« PEUT-ÊTRE »

Vous connaissez déjà les points *position de recherche, oui* et *non*. Étudions à présent une quatrième réponse possible du pendule, celle qui signifie : « Votre question est mal posée », ou bien « Cela n'a pas de sens », ou bien encore, plus simplement résumée, « Peut-être/mauvaise question ». Il se peut, en effet, qu'une question posée ne soit pas correctement formulée par rapport à l'objet de votre recherche.

Tenez votre pendule en position recherche. *La plupart des radiesthésistes constatent que la réponse* peut-être/mauvaise question *se situe à mi-chemin entre les balancements d'avant en arrière et de gauche à droite — dans l'axe d'un angle à 45°.*

Demandez à votre pendule : « *Montre-moi ma réponse* peut-être/mauvaise question. » *S'il ne semble pas vouloir bouger, faites-le vous-même osciller dans un axe à 45° (de 10 h 30 à 4 h 30 ou de 1 h 30 à 7 h 30 sur l'horloge).*

La plupart des radiesthésistes constatent que la réponse peut-être/ mauvaise question *suit, comme sur ces figures, un des deux axes qui coupent à 45°, par le milieu, la ligne de la* position de recherche.

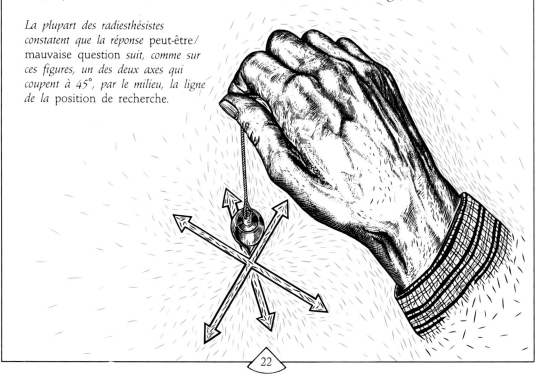

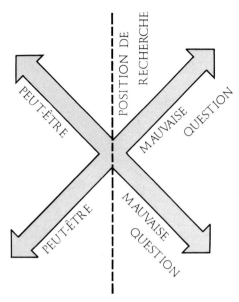

Vous disposez maintenant des quatre réponses pendulaires de base vous permettant de répondre à peu près à toutes les questions que vous vous poserez. En jouant aux devinettes ou au jeu des portraits (Est-ce un animal ? Un végétal ? Un minéral ? Est-ce plus gros qu'une corbeille à pain ? Est-ce un ustensile de cuisine ? Un objet de salon ? etc.), vous pourrez identifier n'importe quoi.

Il faut cependant garder à l'esprit qu'un gouffre sépare le radiesthésiste aguerri du débutant : ce dernier peut trébucher sur de nombreux écueils. Poser la bonne question n'est pas, en effet, une mince affaire. Lorsque vous formulez une question, assurez-vous qu'elle ne peut être interprétée que dans un seul sens. Votre inconscient vous prend toujours au mot, c'est-à-dire au sens littéral (souvenez-vous de notre exemple : « Où se trouve la source la plus proche ? »). Aussi, réfléchissez bien et énoncez la question le plus clairement possible. Si vous ne posez pas la question correctement, vous n'obtiendrez pas de réponse correcte.

La prise de contact

L'étape suivante du travail est celle qui doit faire de vous un bon « récepteur ». Comme en radio, vous devez apprendre à capter la bonne fréquence. Pour y parvenir, il faut procéder en quatre temps ou questions. Je définis ce que je veux faire et je m'attends donc à recevoir la réponse *oui*. Ensuite, je pose trois questions simples mais essentielles : « Puis-je ? », « Dois-je ? », « Suis-je prêt ? »

« Puis-je ? » : ai-je les aptitudes suffisantes pour obtenir la réponse correcte à mon interrogation ? En effet, si vous êtes apte à retrouver un objet perdu dans une pièce, vous ne pouvez peut-être pas encore capter une donnée du futur.

« Dois-je ? » : implique la notion de permission. Même si vous n'en voyez pas bien l'intérêt pour le moment, vous découvrirez vite qu'il y a des sujets auxquels s'attaquent les radiesthésistes chevronnés et qui n'attirent que des ennuis aux débutants (ainsi l'occultisme, les phénomènes paranormaux, par exemple).

Il faut penser aussi aux implications karmiques de la radiesthésie. Le karma, c'est l'évaluation des bonnes et des mauvaises actions, et les leçons que l'on peut tirer de leurs effets. Vous pouvez, par exemple, être tenté de découvrir les numéros gagnants du loto au moyen de la radiesthésie. Mais vous ne devez pas ignorer qu'user de ses pouvoirs intuitifs à des fins presque exclusivement matérielles peut provoquer l'effet contraire au but recherché, « karmiquement » parlant, sur d'autres plans de l'existence. « Dois-je ? » peut donc vous éviter de vous fourvoyer.

Cela dit, on peut se demander *qui* donne cette permission. Il y a plusieurs théories, toutes aussi subtiles que la réponse à la question : « D'où viennent les réponses de la radiesthésie ? » Personnellement, je pense que nous avons tous un guide spirituel chargé de veiller sur nous, de nature à peu près comparable à notre moi le plus éthéré (le père-mère totalement digne de foi) ou au moi-inconscient collectif tel que l'avait perçu Jung. En tout cas, il semblerait qu'une puissance plus évoluée que nous-mêmes veille sur nos

l'opportunité de communiquer directement avec nous afin de nous aider à nous maintenir dans la bonne voie.

Demander la permission est, par exemple, primordial dans l'utilisation de la radiesthésie à des fins de guérison. Rien n'est plus irritant que ces gens qui se jettent sur vous avec leur pendule, vous analyse en long et en large, faisant étalage de tout ce qui ne va pas en vous, sans prendre la peine de vous demander si vous êtes d'accord ! Il s'agit là d'un véritable viol de la vie privée...

Ainsi nous avons : « Voilà ce que je veux faire », « Puis-je ? » et « Dois-je ? » Le dernier « réglage » pour se connecter sur la bonne fréquence est : « Suis-je prêt ? » Ai-je fait tout ce qui est nécessaire pour obtenir une réponse juste ? Y a-t-il encore autre chose à accomplir ? Ne posez cette question que si vous avez obtenu *oui* aux questions précédentes.

Que se passe-t-il si vous avez obtenu *non* à l'une des trois questions précédentes ? C'est simple : si vous croyez au bien-fondé du processus et si vous avez obtenu un *non* en continuant malgré tout, vous ne pouvez prendre en compte la réponse finale. Recommencez depuis le début. Attendez quelques minutes, décontractez-vous et reposez la question de façon légèrement différente. Si vous obtenez encore un *non* à l'une des quatre questions, essayez de poser au pendule une question sur un tout autre sujet. Vous reviendrez plus tard à votre problème.

Une excellente manière de vous exercer en radiesthésie est de profiter de la lecture de ce livre pour poser des questions sur chaque idée, exposé ou exercice. Apprenez ainsi à avoir des pensées personnelles, à avoir votre propre opinion de ce que vous lisez ou entendez.

Faisons un exercice : essayez de déterminer par vous-même l'importance des étapes de mise en état de réceptivité. La question sera : « Les quatre étapes ''réglage'' exposées sont-elles utiles pour moi au stade où je me trouve ? »

Mettez votre pendule en position de recherche.

Dites que vous voulez poser une question sur ces quatre étapes : « C'est ce que je veux faire. Je veux savoir si ces quatre étapes sont utiles pour moi maintenant. »

« Puis-je ? » Ai-je assez d'aptitudes pour poser une telle question ?

« Dois-je ? » En ai-je la permission ? C'est probablement inadéquat ici, mais cela fait partie du processus. Donc, entraînez-vous.

« Suis-je prêt ? »

(Imaginons que toutes les réponses soient positives) « Les quatre étapes décrites sont-elles utiles pour moi ? »

Quelle est la réponse ? Je suis sûr que pour la plupart des lecteurs le *oui* sera venu sanctionner chacune des questions. Cette mise en condition de bonne réceptivité est employée, avec quelques variantes, par tous les radiesthésistes du monde.

Si, par malchance, vous obteniez un *non* au cours de l'exercice, recommencez-le un peu plus tard, lorsque vous aurez progressé dans la lecture de ce livre. Notez que vous avez précisé dans votre question : « ... au stade où je me trouve... » Peut-être n'est-il pas utile pour vous actuellement de procéder à ce type d'exploration. Peut-être êtes-vous pleinement confiant dans l'exactitude des réponses, même au stade où vous vous trouvez.

EXERCICE SUR LES PIÈCES DE MONNAIE

Voici notre premier exercice véritablement pratique. Vous devez vous procurer trois pièces de monnaie : deux d'entre elles doivent être parfaitement semblables (avec une même date, si possible) et une troisième complètement différente.

Placez les deux pièces semblables à une dizaine de centimètres l'une de l'autre et tenez votre pendule à mi-distance des deux pièces, dans la position de recherche. Provoquez une légère oscillation d'avant en arrière en reliant les deux pièces et observez bien : le mouvement de balancier s'amplifie de lui-même. C'est comme si l'extrémité du pendule essayait de rejoindre successivement les deux pièces. C'est ainsi que vous pouvez constater, sentir, la similitude des deux pièces, ainsi que l'attraction qui s'exerce entre elles.

A présent, remplacez une des deux pièces par celle qui est différente. La réaction change totalement : au lieu d'être attiré par les deux pièces, le pendule entame un mouvement soit giratoire (dans un sens quelconque), soit de balancement, mais per-

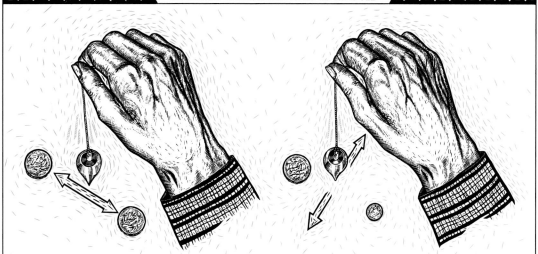

Remarquez comme votre pendule semble également attiré par chacune des deux pièces similaires (à gauche). Avec les pièces dissemblables (à droite), le pendule est repoussé et oscille perpendiculairement à l'axe qui relie ces deux pièces.

pendiculairement à l'axe qui relie les deux pièces. Le pendule peut aussi dessiner d'autres figures, mais il ne manifestera plus l'attraction qui existait entre les deux pièces semblables.

Prenez le temps de vous exercer et de bien assimiler cette réaction du pendule. Bougez les pièces, placez-les de différentes manières. Disposez-les toutes les trois en triangle : que se passe-t-il alors ?

Vous pouvez également tenter l'expérience sur trois pièces semblables mais dont deux seulement portent gravée la même date : retournez-les et essayez de trouver quelles sont les deux pièces similaires.

L'EXERCICE DE PILE OU FACE

Pour cet exercice, vous aurez besoin d'un aide. Munissez-vous d'une pièce de monnaie, d'un morceau de papier et d'un crayon. Prenez votre pendule.

Dites-vous à vous-même que vous voulez savoir si la pièce lancée en l'air retombera côté pile ou côté face. « Puis-je ? », « Dois-je ? », « Suis-je prêt ? »

Mettez la pièce sur la table, côté face, et placez votre pendule au-dessus : ce dernier quittera sa position de recherche pour exprimer oui. Retournez la pièce et observez comment le pendule change d'allure pour exprimer non. (Ces réponses peuvent être inversées, cela n'a pas d'importance.)

Demandez à votre aide de lancer la pièce et de noter le résultat sur la feuille de papier. De votre côté, demandez au pendule sa réponse, pile ou face. Annoncez votre résultat à votre assistant, qui le notera. Recommencez l'opération dix fois de suite. Priez votre aide de ne pas faire de commentaires anticipés sur la comparaison des résultats.

Alors ? Comment cela s'est-il passé ? Statistiquement, vous aviez une chance sur deux, à chaque fois, de donner la bonne réponse. Si donc votre score est supérieur à 5, bravo ! S'il est inférieur à 5, ce résultat est également significatif.

Le point crucial, ce sont les erreurs possibles. Les radiesthésistes débutants en font fatalement l'expérience. Mais il ne faut pas se laisser démoraliser. La leçon à tirer de cette expérience est qu'aucun radiesthésiste ne peut être sûr à cent pour cent de ses talents, et donc de ses résultats.

Si l'exercice des pièces de monnaie n'a pas été très probant pour vous, refaites-le, mais en allant moins vite. Perfectionner sa technique demande de prendre son temps. Persévérez ! Pour vous changer les idées, demandez à votre aide de prendre le pendule à son tour !...

Vous pouvez élargir le propos de cet exercice en incluant les notions de passé et de futur. Tandis que votre assistant lance la pièce dix fois de suite et note ses résultats, vous travaillez avec le pendule. Mais pour que la notion de futur intervienne, il faut que vous consultiez le pendule *avant* le lancer de la pièce. Essayez.

L'INFLUENCE DES ÉMOTIONS

Tous les radiesthésistes ne réussissent pas nécessairement dans toutes les approches de cette discipline. Certains, spécialisés dans les problèmes de santé, sont incapables, par exemple, de trouver de l'eau. En effet, le diagnostic médical et la prospection du sous-sol font appel à des qualités différentes chez les adeptes. Aussi n'avez-vous peut-être pas pu tirer quoi que ce soit de l'exercice des pièces de monnaie. Alors, comment tester vos capacités ? D'abord, sachez qu'étant donné le peu d'investissement émotionnel qu'ils accordent au résultat du jeu de pile ou face, beaucoup de radiesthésistes n'obtiennent rien d'intéressant dans le temps très court qui sépare la question de la réponse pendulaire. Cela signifie, en fait, que durant ce temps très bref ils « perdent » de vue leur objectif, ils se déconcentrent en essayant d'imaginer à l'avance la réponse. Si vous faites cela, vous ne pouvez pas vous fier ensuite à la réponse obtenue grâce au pendule. Recommencez l'opération.

Un autre exemple vous fera mieux comprendre le phénomène. Émettons l'hypothèse que votre frère est très malade et que vous craignez qu'il ne soit atteint d'un cancer. Vous demandez la permission d'en savoir plus et vous suivez avec application les étapes déjà décrites : « Voilà ce que je veux faire »,« Puis-je ? », « Dois-je ? », « Suis-je prêt ? » Puis vous posez la question fatidique : « Mon frère a-t-il un cancer ? »

Il est bien évident que vous voudriez que la réponse fût *non*. Il est probable que, tandis que vous attendez la réaction du pendule, vous vous disiez inconsciemment : « J'espère que *non*. Faites, mon Dieu, que ce soit *non*. »

Dans ce cas, je vous garantis que la réponse sera *non*. Les réponses de la radiesthésie cheminent à travers notre inconscient et celui-ci est tellement anxieux de nous complaire qu'il nous donnera à entendre ce que nous espérons ardemment entendre.

Lorsque nos demandes concernent des gens que nous connaissons et aimons, toute forme de divination devient plus difficile. Je pratique les tarots et j'ai constaté qu'il est toujours plus aisé de les interpréter pour des gens qui me sont complètement étrangers que pour des amis proches.

Ce que je désire vraiment devient la réalité du moment. Lorsque vous demandez : « Mon frère a-t-il un cancer ? », vous voulez, je suppose, entendre la vérité. Mais comment vous détacher émotionnellement du besoin d'entendre une certaine réponse à pareille question ? La Bible nous aide. Je cite : « Si vous ne redevenez pareil à un petit enfant, vous ne verrez pas s'ouvrir devant vous le royaume de Dieu. » Après avoir posé votre question, vous devez en quelque sorte « débrancher » l'hémisphère gauche de votre cerveau, immobiliser son cortège de pensées et de besoins qui peuvent créer de redou-tables confusions. Aussi, après avoir posé votre question, essayez d'adopter l'attitude innocente d'un enfant qui attend et se dit : « Je me demande bien ce que sera la réponse... » Répétez cela autant de fois qu'il le faudra, jusqu'à ce que le pendule vous indique *sa* réponse. Si vous vous demandez constam-ment quelle sera cette réponse, vous n'aurez pas le temps de suggestionner votre inconscient pour qu'il s'attache à élaborer la réponse souhaitée par votre cœur, et vous ne pourrez pas ainsi influencer le pendule par vos propres désirs.

Évidemment, l'émotion est moins vive dans le jeu de pile ou face. Mais veillez toutefois à ce que, après avoir trouvé, par exemple, que les quatre ou cinq premiers lancers étaient des « face », votre hémisphère gauche ne se mette à penser : « C'est au tour des ''pile'' à présent ! »

Chaque lancer de pièce a cinquante pour cent de chances d'atterrir sur « face ». Mais une petite voix peut vous égarer. C'est donc la même situation : votre attente va obligatoirement influencer les résultats.

Si vous vous prenez sur le fait d'entretenir de telles pensées, demandez à votre ami de lancer les pièces et dites-vous à vous-même, tandis que vous tenez le pendule : « Je me demande bien quelle sera la réponse... » Une autre méthode pour vérifier l'exactitude de la réponse est de se demander : « Est-ce là la vérité ? » Bien sûr, vous souhaitez connaître la réponse juste à cette question. Personnellement, lorsque je la réclame, je trouve qu'il est facile d'éviter toute pensée parasite et de rester concentré.

Si donc vous obtenez un *oui* à votre question initiale mais un *non* à « Est-ce là la vérité ? », vous devez en conclure que la réponse à la question initiale est *non*. Vous donnez de la sorte à votre inconscient une chance supplémen-taire de vous dire la vérité.

Pour récapituler, voici la méthode d'utilisation du pendule que je vous recommande lorsque la réponse attendue procède du *oui/non* :

1. Formulez la question dans votre esprit. En même temps, souvenez-vous que, quelles que soient les réponses, vos questions seront prises au sens littéral. Quand vous êtes prêt, prenez votre pendule.

2. Voilà ce que je veux faire.
3. Puis-je ?
4. Dois-je ?
5. Suis-je prêt ?
6. Question.
7. Je me demande bien quelle sera la réponse.
8. Réponse.
9. Est-ce là la vérité ?
10. Revenez à l'étape n° 6 pour la question suivante. (Vous n'êtes pas obligé de répéter la phase préliminaire pour chaque question.)

Si vous procédez ainsi, vous augmenterez considérablement vos chances d'obtenir une réponse correcte et utile. A la vérité, les radiesthésistes passent beaucoup de temps à s'assurer qu'ils formulent leurs questions avec justesse avant d'essayer de capter la réponse ou de vérifier les résultats.

La direction

Une autre utilisation importante de la radiesthésie est la détection d'un objet en suivant la direction donnée par l'extrémité de l'oscillation la plus éloignée de la place qu'occupe l'opérateur. Imaginons que vous soyez perdu dans la forêt et que vous cherchiez à retrouver votre voiture. Vous demandez au pendule de se mettre en *position de recherche*, puis vous formulez votre question : « Dans quelle direction se trouve ma voiture ? » Si votre position de recherche est l'immobilité, votre pendule commencera à osciller d'avant en arrière.

Observez l'axe suivi par l'oscillation dès les premiers balancements. Cet axe va se déplacer dans un sens giratoire (peu importe de quel côté) et, à raison de quinze à vingt battements, il peut vous faire faire un tour complet. Si votre *position de recherche* est le balancement, observez de la même façon l'extrémité la plus éloignée de vous de la première oscillation : c'est l'axe qui va se déplacer jusqu'à ce qu'il capte l'emplacement de votre véhicule ; c'est alors qu'il s'immobilise, le mouvement oscillant demeurant dans la même direction. Le pendule indique donc cette direction. Si par hasard votre voiture se trouve juste dans votre dos (dans l'alignement opposé à cette direction), l'axe continuera à dévier sa course pour que son extrémité, après une courbe de 90°, pointe vers le lieu désiré. Vous ferez alors volte-face. (Si votre *position de recherche* est l'immobilité et si la cible est dans votre dos, le pendule commencera par osciller puis l'axe, très vite, tournera sur lui-même dans un sens ou dans l'autre jusqu'à ce qu'il pointe vers la cible.

Essayez de trouver une direction en vous appliquant à réaliser l'exercice suivant : « Où se trouve l'installation électrique la plus proche ? », « Puis-je ? », « Dois-je ? », « Suis-je prêt ? »

Observez l'axe des balancements pendulaires, son mouvement latéral (vers la droite ou vers la gauche) et, enfin, la direction sur laquelle se fixe l'oscillation. La prise de courant est là !

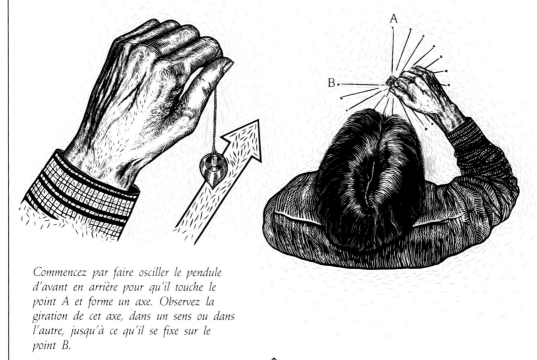

A

B

Commencez par faire osciller le pendule d'avant en arrière pour qu'il touche le point A et forme un axe. Observez la giration de cet axe, dans un sens ou dans l'autre, jusqu'à ce qu'il se fixe sur le point B.

LA TRIANGULATION

La radiesthésie se sert d'une technique, la triangulation, pour définir la position d'un objet. En utilisant à la fois la triangulation et la recherche de la direction, le radiesthésiste gagne beaucoup de temps.

Demandez à un ami de cacher un objet dans une pièce, un crayon, par exemple. « Où se trouve le crayon ? » (Notez au passage que vous n'avez pas ici besoin des étapes préliminaires n°ˢ 1 à 5, car vous venez de les passer en faisant les exercices précédents.) En suivant les mouvements de l'axe, trouvez la direction puis tracez une ligne imaginaire dans cette direction, en partant de l'endroit où vous vous trouvez. Vous savez donc à présent, intuitivement, que le crayon se situe quelque part le long de cette ligne. Mais où exactement ?

Changez de place en vous éloignant le plus possible de votre position initiale dans la pièce et posez la même question : « A présent, où se trouve le crayon ? » De la même façon, tracez mentalement une ligne dans la direction donnée par le pendule. A l'intersection des deux lignes obtenues, vous devez trouver le crayon caché. Cette

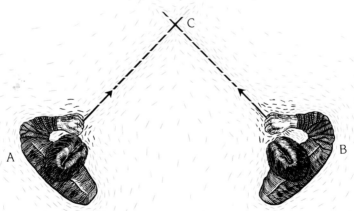

Depuis un point A, demandez où se situe l'objet recherché. Déterminez la direction et tracez une ligne imaginaire dans cette direction. Déplacez-vous ensuite jusqu'au point B et répétez l'opération. L'objet recherché se trouve à l'intersection des deux lignes imaginaires (les deux directions obtenues), c'est-à-dire le point C.

opération est appelée triangulation, et elle fonctionne encore plus sûrement si vous renouvelez votre recherche non pas deux mais trois fois depuis trois points de l'espace à explorer. Vous économiserez ainsi un temps précieux. Cette technique est très appréciée d'un grand nombre d'excellents radiesthésistes.

Vous pouvez également tenter l'expérience dans un endroit qui ne soit pas votre environnement habituel, chez un ami par exemple. Tout le monde a chez soi une pelle et un balai, mais où se trouvent exactement rangés ces ustensiles de ménage chez cet ami ? Dans un coin de la cuisine ou dans un placard de rangement près de la porte d'entrée ? Mille endroits sont possibles. Vous ne pouvez être sûr de rien. Sélectionnez parmi vos amis celui qui n'aura pas d'attitude négative ou de défiance a priori à l'égard de la radiesthésie et de votre quête personnelle. Le scepticisme n'établit jamais une atmosphère propice à ce type d'expérience, surtout au début. Werner Heisenberg, physicien et philosophe allemand, prix Nobel de physique en 1932 pour ses travaux sur la mécanique quantique, démontra que l'expérimentateur fait partie intégrante du processus expérimental et que, par conséquent, il en affecte les résultats. Un lien « interactif » relie indissolublement l'observateur et l'objet observé. C'est pourquoi nul observateur n'est jamais totalement objectif, car il n'est jamais complètement détaché de la chose observée. Vous devez donc bien choisir l'ami qui jouera le jeu avec vous : ce doit être quelqu'un d'ouvert, de curieux par nature, mais certainement pas hostile ou simplement ironique. Demandez à votre pendule si votre choix est bon !

Entrez dans le salon de votre ami et exposez vos intentions. Dites quelques mots sur la radiesthésie et sur les progrès que vous faites dans ce domaine. Sortez votre pendule et concentrez-vous un moment sur ce que vous allez faire. Souvenez-vous que ce n'est pas un « jeu de société », mais une expérience sérieuse et passionnante pour vous perfectionner. Demandez à votre pendule de se mettre en position de recherche. « Je veux trouver la pelle et le balai de cette maison. Puis-je ? Dois-je ? Suis-je prêt ? » Toutes les réponses doivent être positives. Concluez : « Je veux connaître (deviner) la direction dans laquelle se trouvent la pelle et le balai les plus proches de moi dans cette maison. » (Il peut en effet y avoir plusieurs ustensiles de ce genre dans une même maison.)

Le pendule commence à osciller. Observez l'axe qu'il donne à ses déplacements. Lorsqu'il arrête son mouvement giratoire, demandez : « Est-ce là la vérité ? » Si la réponse est oui*, commencez l'opération de la triangulation en vous déplaçant et en recommençant le même processus. Vous pouvez être obligé de trianguler deux ou trois fois, peut-être plus, pour parvenir à localiser exactement l'endroit où sont rangés la pelle et le balai, mais vous ne manquerez pas de créer la surprise lorsque vous vous dirigerez sans hésitation vers le placard où se trouvent les ustensiles recherchés.*

Admettez que c'est vraiment passionnant lorsque les exercices fonctionnent bien. Je suis sûr, d'ailleurs, que tout se déroule pour vous à merveille ; mais, si vous rencontrez quelques difficultés, souvenez-vous que vous ne faites que débuter. Persévérez à tout prix et vous connaîtrez le succès.

Pour tous les radiesthésistes, le point essentiel est de se mettre en « accord vibratoire » (cf. les dix étapes que nous avons définies) avec le travail à effectuer. Ces étapes successives sont d'un grand secours. En utilisant le mouvement de l'axe, le pendule peut vous montrer clairement une direction. Essayez de bien posséder cette dernière technique car nous allons étudier dans le prochain chapitre le travail sur les chartes.

Faites quotidiennement les exercices. Les progrès sont à ce prix.

CHAPITRE 3

LA RADIESTHÉSIE
SUR CHARTE

Je suppose que, à présent, vous connaissez parfaitement les réponses de base de votre pendule *(position de recherche, oui, non, peut-être/mauvaise question)*. Il est important que vous continuiez à pratiquer ces exercices régulièrement, au moins deux fois par jour. Vous acquerrez ainsi confiance et habileté.

La technique de l'axe vous offre d'immenses perspectives dans l'utilisation du pendule : elle vous permet non seulement de trouver la direction d'un objet, mais également de travailler sur des chartes témoins comme vous en trouverez tout au long de cet ouvrage.

Dix-neuf chartes sont ici reproduites : une charte qui requiert une réponse par *oui* ou par *non* ou encore par *peut-être/mauvaise question* ; une charte graduée de 0 à 100 ; une carte mondiale pour vous exercer à situer les gisements connus de pétrole ; une quinzaine de chartes pour perfectionner votre technique, notamment sur des problèmes de la vie quotidienne, en faisant appel à l'astrologie ; enfin, une charte qui, jointe à la charte graduée, vous offrira la possibilité originale de prévoir les intempéries !

LA CHARTE DU OUI-NON-
PEUT-ÊTRE/MAUVAISE QUESTION

Cette première charte réclame vos compétences dans la recherche de l'axe. Observez-la bien.

Tenez votre pendule au-dessus de la charte, plus précisément juste au-dessus du point où convergent tous les rayons, c'est-à-dire où les trois options (oui, non, peut-être/

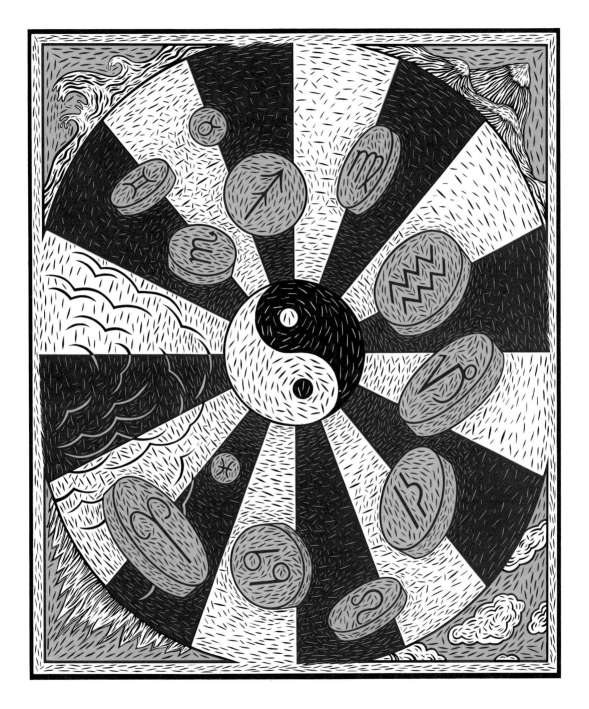

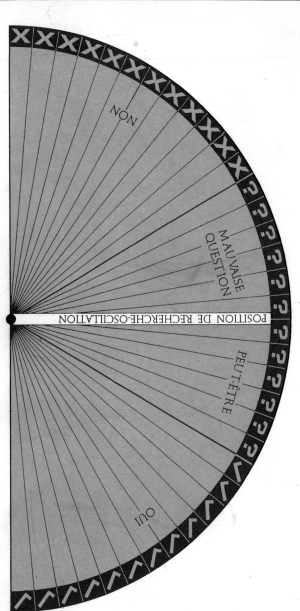

CHARTE DU
OUI, NON, PEUT-ÊTRE/
MAUVAISE QUESTION

NON

MAUVAISE
QUESTION

POSITION DE RECHERCHE-OSCILLATION

PEUT-ÊTRE

OUI

mauvaise question) *se rejoignent. Ce point est appelé le* pivot. *Lorsque vous êtes prêt, posez toutes les questions que vous désirez, pourvu que la réponse figure parmi les trois options. Si votre* position de recherche *est l'immobilité, votre pendule se mettra en mouvement après que vous aurez posé la question. De lui-même, il se balancera dans la direction approximative de la réponse (inscrite sur le pourtour de la charte). Son mouvement prendra peu à peu de l'ampleur et de la vitesse puis se fixera sur la réponse exacte.*

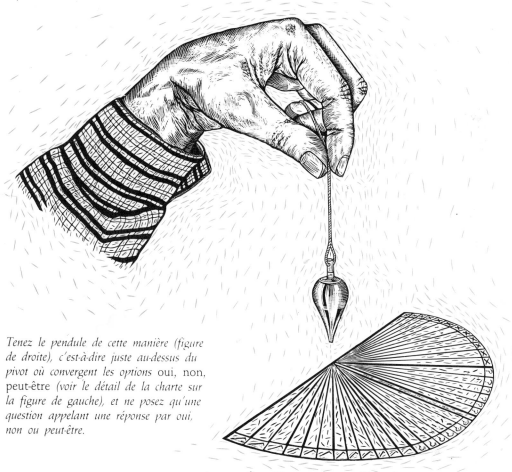

Tenez le pendule de cette manière (figure de droite), c'est-à-dire juste au-dessus du pivot où convergent les options oui, non, peut-être (voir le détail de la charte sur la figure de gauche), et ne posez qu'une question appelant une réponse par oui, non ou peut-être.

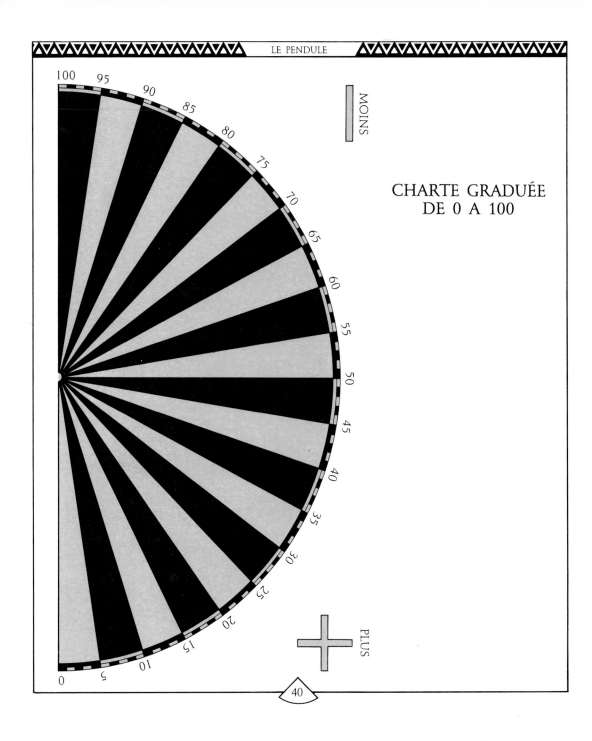

CHARTE GRADUÉE
DE 0 A 100

MOINS

PLUS

40

Si votre position de recherche est déjà une oscillation, tenez votre pouce et votre index juste au-dessus du pivot et faites vous-même osciller le pendule dans une direction quelconque de la charte. L'axe se définira de lui-même en sélectionnant une direction précise. La réponse est donnée lorsque l'axe demeure stable dans une direction.

Entre le moment où vous posez une question et celui où vous obtenez la réponse, vous devez vous répéter : « Je me demande quelle sera la réponse... », afin que nul désir parasite pour une réponse ou une autre ne vienne perturber et fausser l'expérience. Je le répète : il est très facile d'influencer un pendule.

Demandez alors : « Est-ce là la vérité ? » juste pour vérifier.

Tenez votre pendule au-dessus du pivot, là où convergent les trois options, et essayez la question suivante : « Cette charte fonctionne-t-elle pour moi ? » N'omettez jamais de commencer chaque opération par « Voilà ce que je veux faire » et de la terminer par « Est-ce là la vérité ? ». Surveillez bien l'axe. Je suis persuadé que tous les débutants obtiendront oui à cette question, mais faites tout de même l'exercice consciencieusement pour acquérir de l'expérience.

Vous pouvez désormais vous servir de cette charte à la place des exercices précédents pour obtenir *oui, non,* ou *peut-être/mauvaise question.* (Le mieux serait de vous servir des deux.) Vous pouvez aussi employer cette charte pour le jeu des devinettes ou des portraits. La technique du *oui/non* est très utile pour répondre à un problème spécifique comme pour faire une dernière vérification après tout autre travail de radiesthésie ; c'est ce que nous allons découvrir dans les pages suivantes.

La charte graduée

Autre instrument privilégié du radiesthésiste : la charte graduée de 0 à 100. Si vous l'observez bien, vous constaterez que les chiffres se suivent sur l'arc de cercle de la droite vers la gauche, donc en sens contraire de celui des aiguilles d'une montre. C'est volontaire. José Silva, célèbre Texan qui a développé sa propre méthode, a, pendant des années, enseigné l'accession aux différents niveaux de conscience. Ses travaux ont notamment attiré l'attention des chercheurs sur le fait que la lecture de gauche à droite sollicitait l'hémisphère gauche du cerveau (la fonction analytique) ; inversement, le parcours optique d'une information de droite à gauche fait appel aux potentialités de l'hémisphère droit (l'intuition). La charte graduée est donc dessinée de telle sorte que vous puissiez susciter toute la puissance de votre sens intuitif ; justement, c'est en radiesthésie que vous en avez le plus besoin ! En effet, le travail sur cette charte a été précédé de la formulation des questions objectives, rationnelles. C'est donc le moment d'entrer en réceptivité pure pour obtenir la réponse.

Il y a différentes applications du travail sur la charte graduée. Par exemple, l'évaluation de l'intérêt d'un livre. Imaginons que vous ayez en main un ouvrage sur la mythologie grecque. Sortez votre pendule et, après les questions préparatoires bien connues de vous à présent, demandez : « Si ce livre n'a aucun intérêt, ce sera 0 ; si c'est le meilleur sur le marché actuel, ce sera 100 ; quelle note peut-on lui attribuer ? » Si le nombre 80 est atteint, ce livre est de qualité et vous pouvez l'acheter en confiance ; si le pendule se fixe sur 90 ou 95, ne le lâchez plus et dévorez-le tout de suite !

Pourquoi ne pas essayer avec mon livre ? J'espère que la réponse vous encouragera à en continuer la lecture...

Autre application possible : la personnalité. Décidez par exemple que ce qui se voit de pire en ce monde vaut 0 et que la personnalité la plus accomplie vaut 100. Établissez selon vos propres critères une échelle de valeur sur laquelle vous situerez des gens célèbres, vos amis, etc. Cela peut être très révélateur, notamment sur vous-même.

Nous verrons plus loin que cette charte peut aussi vous donner, par exemple, le degré de température. C'est à maintes reprises que nous attribuerons le 0 au pire et le 100 au meilleur. Cette technique sera probablement l'une des plus employées au cours de notre étude.

LA CHARTE MONDIALE

Je suppose que vos tentatives successives vous ont déjà conduit à comprendre qu'il n'était pas nécessaire de se trouver personnellement au-dessus d'un objet donné pour le détecter avec un pendule. Souvenez-vous : nombreux sont les exercices que vous avez effectués qui ne s'appliquaient pas à quelque chose de tangible ; de même, vous avez cherché une pelle et un balai dans une maison inconnue sans être forcément dans la même pièce que ces ustensiles.

Ma mère me téléphona un jour pour me signaler une interruption de l'arrivée d'eau. Il n'y avait jamais eu de réparations depuis l'installation du réseau des canalisations, quarante ans plus tôt, aussi ne se souvenait-elle pas de l'endroit où se trouvait le regard. J'avais vaguement en tête le plan de la maison de ma mère, mais je pris tout de même le pendule : cela devait se situer derrière l'angle est de la maison, à environ 6 mètres du mur. Les ouvriers confirmèrent l'endroit en tombant exactement dessus après avoir suivi les instructions de ma mère (déterminées par mon pendule). C'est en fait un travail élémentaire pour tout radiesthésiste compétent. Cela s'appelle la radiesthésie sur plan. Essayons sur la charte suivante.

Voici une carte mondiale. Nous allons localiser toutes les réserves de pétrole connues. Les emplacements exacts des gisements sont répertoriés à la fin de ce volume. Il s'agit ici de tester vos aptitudes et d'évaluer vos progrès. Comme vous pouvez le constater, cette carte du monde est quadrillée par des lignes (coordonnées) numérotées de 1 à 13 et de A à Z.

Essayons la triangulation. Tenez votre pendule au-dessus de l'un des angles de la carte. Après avoir formulé les questions initiales, demandez : « Où se trouve le champ de pétrole le plus proche de cet angle ? » Prenez mentalement note de la ligne donnée par le pendule (l'axe se fixe sur une direction) et le long de laquelle se situent un ou plusieurs gisements. Changez d'angle et recommencez : « Quel est le lieu de gisement que je viens juste de détecter ? » Retenez mentalement la deuxième direction donnée. A l'intersection des deux lignes, notez sur une feuille les coordonnées que vous aurez obtenues (lettre et chiffre). Résistez à la tentation de vérifier le résultat immédiatement, et tâchez de trouver tous les gisements auparavant. Si vraiment vous n'y tenez plus, sélectionnez visuellement le résultat qui vous intéresse le plus à l'exclusion des autres : cela aussi est une discipline — la maîtrise. Si, malgré tout, vous brûlez de tout lire, demandez à un ami de vous aider à jouer le jeu en vous donnant les réponses au fur

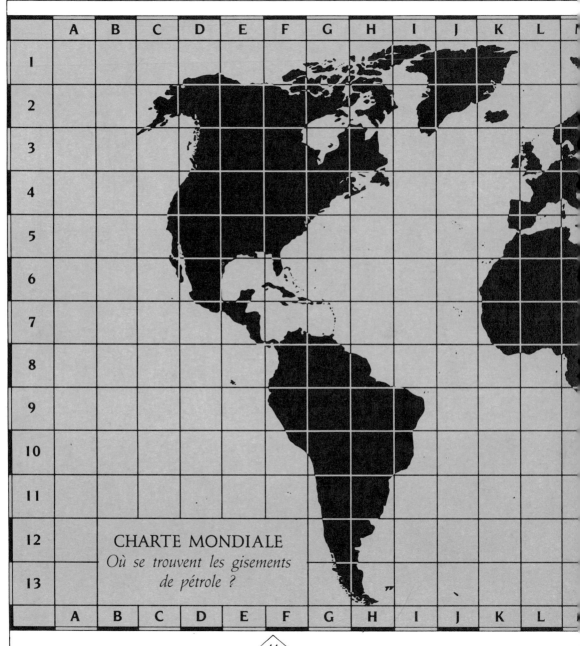

CHARTE MONDIALE
*Où se trouvent les gisements
de pétrole ?*

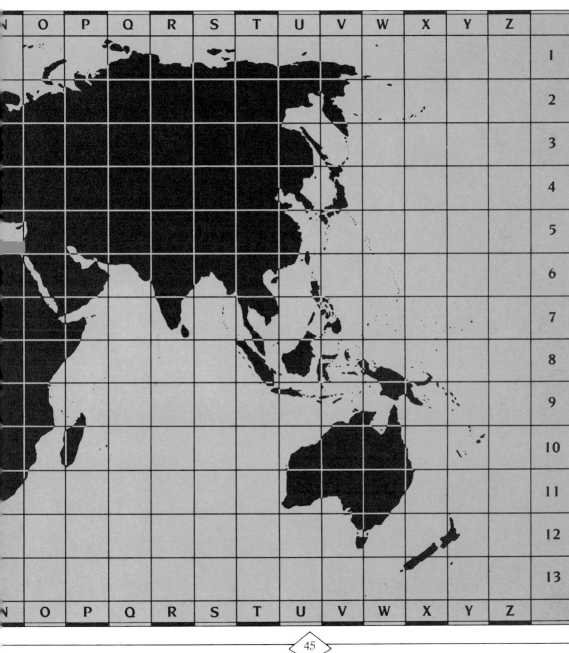

et à mesure. *Cela vous rappellera étrangement le temps où vous jouiez à la bataille navale en classe !...*

A présent, regardez en fin d'ouvrage si vous avez « touché » ici et là des gisements de pétrole. Non ? Si vous avez manqué les cibles, reformulez les mêmes questions, mais en commençant cette fois par un angle différent, et répétez l'opération de la triangulation. Dès que vous avez obtenu de nouvelles coordonnées, posez une question qui appelle une réponse par oui/non *: « Y a-t-il un gisement de pétrole ici ? » Si vous obtenez* oui, *vérifiez votre réponse en fin d'ouvrage. Si vous obtenez* non, *vérifiez les coordonnées des carrés voisins de celui que vous avez situé par triangulation.*

Exercez-vous jusqu'à ce que vous découvriez plusieurs gisements sur cette carte, en formulant vos questions légèrement différemment. Longez maintenant les côtés de la carte en procédant à la triangulation. Vous avez déjà noté que le côté vertical est gradué de 1 à 13 et le côté horizontal de A à Z. Dites : « Je cherche un gisement que je n'ai pas encore repéré. » Éloignez votre pendule de la carte et attendez une réponse par oui, *par* non *ou par* peut-être/mauvaise question, *tandis que vous promenez vos doigts sur le bord vertical gauche de la carte : « Y a-t-il un gisement au niveau du numéro 1, 2, 3, etc. ? » Continuez jusqu'à ce que vous obteniez* oui. *Passez à présent votre main sur le bord horizontal inférieur de la carte : « Se trouve-t-il un gisement dans la colonne A, B, C, etc. ? » Cela jusqu'à la réponse positive. Un de ces gisements de pétrole se trouve à la croisée des coordonnées. Vérifiez ensuite le résultat en fin de volume (p. 126).*

Souvenez-vous cependant que l'échelle d'une carte est telle que le degré de précision que vous attendez est presque impossible à obtenir et qu'il vous faudra des documents plus spécifiques pour concurrencer demain J. R. sur le marché du pétrole texan !...

LES CHARTES ASTROLOGIQUES

Quittons le domaine bien matériel des ressources pétrolifères, ou des appréciations littéraires, pour pénétrer dans le monde de l'inconscient. Pour cela, nous disposons de toute une série de chartes divinatoires faisant appel à l'astrologie. Sachez d'emblée que vous n'avez nullement besoin d'être vous-même astrologue pour travailler sur ces chartes.

Connaissez-vous votre signe solaire (signe zodiacal ou de naissance) ? En étudiant la liste suivante, vous pourrez le découvrir sans difficulté.

Signes solaires et dates de naissance

Bélier (♈) — équinoxe de printemps (21 mars)-20 avril
Taureau (♉) — 21 avril-21 mai
Gémeaux (♊) — 22 mai-solstice d'été (21juin)
Cancer (♋) — solstice d'été-23 juillet
Lion (♌) — 24 juillet-23 août
Vierge (♍) — 24 août-équinoxe d'automne (23 septembre)
Balance (♎) — équinoxe d'automne-23 octobre
Scorpion (♏) — 24 octobre-22 novembre
Sagittaire (♐) — 23 novembre-solstice d'hiver (21 décembre)
Capricorne (♑) — solstice d'hiver-20 janvier
Verseau (♒) — 21 janvier-19 février
Poissons (♓) — 20 février-équinoxe de printemps (21 mars)

Les dates des équinoxes et des solstices sont approximatives, car elles varient de quelques jours d'une année à l'autre, modifiant ainsi les dates limites des signes astrologiques.

En abordant les chartes astrologiques, soyez comme les gnostiques, c'est-à-dire sans préjugés. Montrez-vous simplement ouvert à ce qu'elles peuvent vous enseigner. L'astrologie combinée à la radiesthésie (l'intuition) peut, en effet, jeter une lumière privilégiée sur vous-même et sur les autres.

Parmi les chartes des douze signes solaires que vous trouverez dans les pages qui vont suivre, sélectionnez la vôtre.

Sous le signe zodiacal, vous lirez quelques mots décrivant succinctement les caractéristiques du signe, la partie du corps qu'il gouverne et l'élément qui lui est associé (Feu, Terre, Air, Eau).

Chacune des chartes est divisée en quatre parties correspondant aux quatre secteurs de l'existence sur lesquels il est possible d'interroger le pendule : Amour, Bonheur, Santé, Carrière. Voici quelques exemples de questions que vous pouvez poser.

1. *Comment va ma vie amoureuse ?*
2. *Qu'est-ce qui peut me rendre heureux ?*
3. *De quel problème de santé dois-je me méfier ?*
4. *Quel type de carrière (ou changement de carrière) me conviendrait le mieux ?*

Commencez comme d'habitude par : « Voilà ce que je veux faire. Puis-je ? Dois-je ?, etc. », puis installez-vous au-dessus de votre charte solaire. Dans l'angle où est écrit « Carrière » se trouvent évoqués cinq types de carrières qui, généralement, conviennent aux gens du même signe que vous.

Tenez le pendule au-dessus de cet angle (en bas, à droite) et demandez : « Quel type de carrière (ou changement de carrière) me conviendrait mieux à présent ? » Observez la direction qu'indiquent les mouvements du pendule. Il se peut que vous suiviez déjà la carrière indiquée ; ou que vous soyez au contraire surpris par une réponse vérifiant ce que, intuitivement, vous sentiez : que telle ou telle profession vous attirait, mais que vous n'avez jamais osé faire le premier pas.

Notez que, dans un des secteurs de l'angle « Carrière », on vous renvoie à la charte zodiacale (que vous trouverez juste après les douze chartes solaires, dans ce livre). Si le pendule insiste sur ce renvoi, obéissez. La charte zodiacale couvre les douze signes astrologiques. Et sachez que, si beaucoup de gens de votre signe s'épanouissent dans une des carrières qui leur sont associées, il se peut aussi que votre carrière idéale appartienne à un autre signe.

Tenez alors votre pendule au-dessus de cette grande roue zodiacale et demandez : « De quel signe la carrière qui me correspond le mieux relève-t-elle ? » Si votre position de recherche *est l'oscillation, commencez sur la ligne qui sépare le Sagittaire du Capricorne (en haut de la charte). Observez le déplacement de l'axe jusqu'à ce qu'il se fixe sur un signe précis.*

Si votre position de recherche *est l'immobilité, tenez votre pendule au centre de la roue et notez les signes opposés au-dessus desquels il se balance. Pointez un doigt vers un de ces deux signes et demandez : « Est-ce celui-là ? » Si c'est* non, *posez à nouveau la question à propos du signe opposé. Si, comme vous vous y attendez, la réponse est* oui, *demandez confirmation : « Est-ce là la vérité ? »*

Rendez-vous à la charte solaire correspondant au signe qui vient d'être ainsi désigné et recommencez l'opération « Carrière ». Quand vous aurez défini votre carrière idéale, demandez encore à votre pendule : « Est-ce là la vérité ? » Si la réponse est non, *recommencez tout.*

Si la réponse est oui, *étudiez un autre secteur, la santé par exemple : « De quel problème de santé dois-je me méfier ? » Ou bien vous obtenez une réponse précise, ou bien vous êtes renvoyé à la charte zodiacale. Suivez le même processus que pour la carrière, et ainsi de suite pour les deux autres secteurs.*

Évidemment, toutes les réponses inscrites dans les secteurs ne sont pas toujours plaisantes, notamment en ce qui concerne la santé. Mais que vous murmure votre intuition ? Que vous n'êtes pas censé tomber malade demain, mais que vous avez des points faibles qu'il faut surveiller. Autant les connaître…

Certaines des réponses ont aussi des connotations humoristiques. Votre intérêt est d'y regarder à deux fois !

En cas de dilemme sur une réponse pendulaire, utilisez la technique du *oui-non.* Sachez aussi que ce qui semble a priori avoir le moins de sens est peut-être le plus important. Faites-y attention, même s'il est toujours plus agréable d'entendre confirmer ce que l'on sait déjà.

Les chartes solaires peuvent donc vous aider à débrouiller un problème spécifique.

Imaginons que vous ayez une mésentente obscure avec votre partenaire amoureux. Vous êtes Lion et il/elle est Verseau. Étudiez au pendule la section « Amour » de vos deux chartes. Pour vous-même, vous obtenez « Dynamisme », et pour l'être aimé « Allez à la charte zodiacale ». Ce que vous faites. Le pendule vous indique alors le Capricorne. Pensez à votre partenaire et sortez la charte du Capricorne pour y étudier la section « Amour ». Le pendule répond alors par « Inhibition ». Vous commencez à voir se dessiner la nature de votre problème : dynamisme contre inhibition. Votre force et votre esprit dominateur n'empêchent-ils pas un peu trop votre partenaire (et votre relation) de respirer ?…

BÉLIER

Affirmation, Impatience, Gouverne la tête

ÉLÉMENT : FEU

AMOUR · BONHEUR

Passion

Projets nouveaux

Énergie

Chance à saisir

Acceptation/résistance

Ralentissement/accélération

Coup de foudre

Bonne discussion

Démonstration

Escalade en solitaire

Allez à la charte zodiacale

Allez à la charte zodiacale

Inventeur

Blessures à la tête

Grande forme

Créateur d'entreprise

Risques d'accident

Cracheur de feu

Acné

Exécutant

Tension/migraines

Pionnier/explorateur

Allez à la charte zodiacale

Allez à la charte zodiacale

SANTÉ · CARRIÈRE

TAUREAU
Possessivité, Constance, Gouverne la gorge
ÉLÉMENT : TERRE

AMOUR — BONHEUR

La grande aventure

Caprice

Loyauté et fidélité

Bonne chère

Espace et luxe

Tyrannie

Beauté physique

Allez à la charte zodiacale

Sensualité secrète

Possessivité

Goût de la reconnaissance par autrui

Allez à la charte zodiacale

Laryngite

Sédentarité

Problèmes de poids

Douleurs cervicales

Joaillier

Fermier

Agent immobilier

Musicien

Adénoïdes

Financier

Allez à la charte zodiacale

Allez à la charte zodiacale

SANTÉ — CARRIÈRE

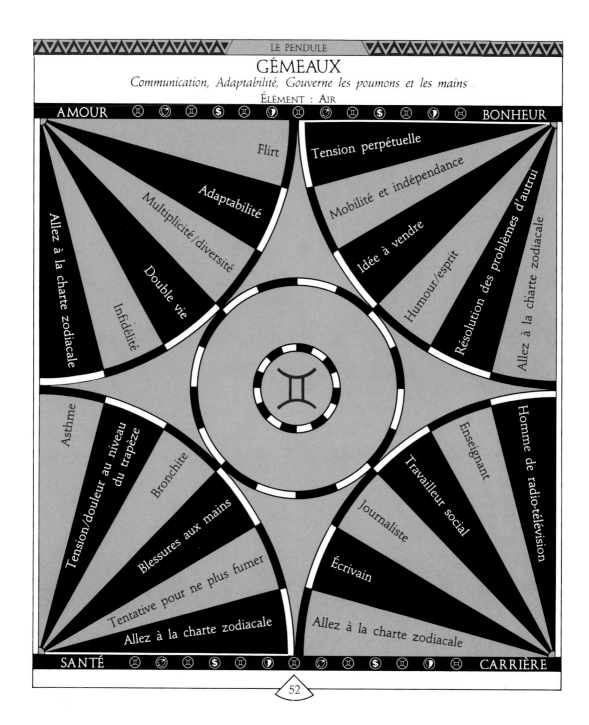

GÉMEAUX
Communication, Adaptabilité, Gouverne les poumons et les mains
ÉLÉMENT : AIR

AMOUR · BONHEUR

Flirt

Tension perpétuelle

Adaptabilité

Mobilité et indépendance

Multiplicité/diversité

Idée à vendre

Humour/esprit

Résolution des problèmes d'autrui

Allez à la charte zodiacale

Double vie

Infidélité

Allez à la charte zodiacale

Asthme

Tension/douleur au niveau du trapèze

Bronchite

Homme de radio-télévision

Enseignant

Travailleur social

Journaliste

Blessures aux mains

Écrivain

Tentative pour ne plus fumer

Allez à la charte zodiacale

Allez à la charte zodiacale

SANTÉ · CARRIÈRE

CANCER

Sensibilité, Protection, Gouverne la poitrine et l'utérus

ÉLÉMENT : EAU

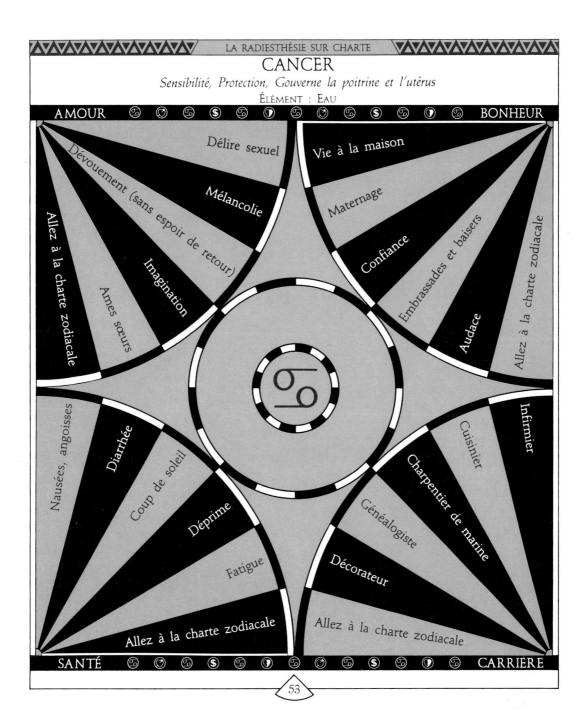

AMOUR

BONHEUR

Délire sexuel

Vie à la maison

Dévouement (sans espoir de retour)

Mélancolie

Maternage

Allez à la charte zodiacale

Imagination

Confiance

Embrassades et baisers

Allez à la charte zodiacale

Âmes sœurs

Audace

Infirmier

Nausées, angoisses

Diarrhée

Coup de soleil

Cuisinier

Charpentier de marine

Déprime

Généalogiste

Fatigue

Décorateur

Allez à la charte zodiacale

Allez à la charte zodiacale

SANTÉ

CARRIÈRE

LION
Créativité, Grandeur, Gouverne le cœur

ÉLÉMENT : FEU

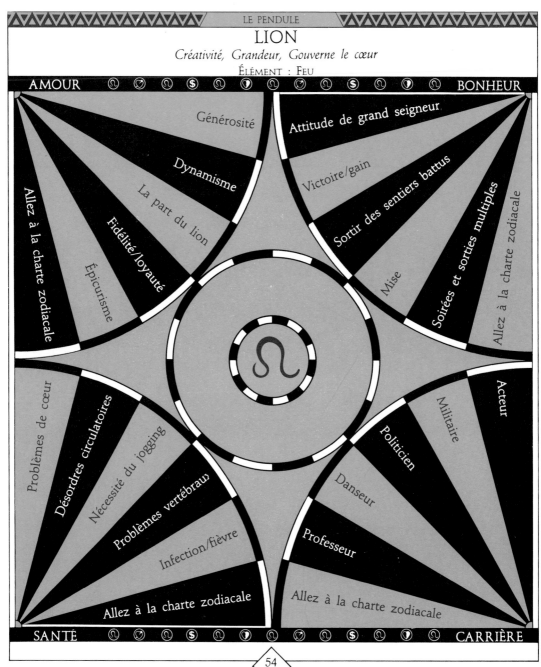

AMOUR

BONHEUR

Générosité

Attitude de grand seigneur

Dynamisme

Victoire/gain

La part du lion

Sortir des sentiers battus

Allez à la charte zodiacale

Fidélité/loyauté

Épicurisme

Mise

Soirées et sorties multiples

Allez à la charte zodiacale

Acteur

Problèmes de cœur

Désordres circulatoires

Nécessité du jogging

Militaire

Politicien

Danseur

Problèmes vertébraux

Infection/fièvre

Professeur

Allez à la charte zodiacale

Allez à la charte zodiacale

SANTÉ

CARRIÈRE

VIERGE

Critique, Analyse, Service, Gouverne l'estomac

ÉLÉMENT : TERRE

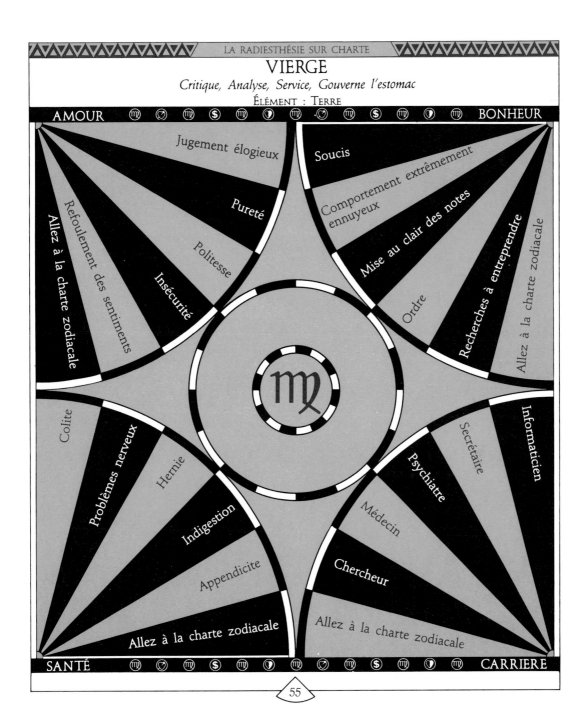

AMOUR — BONHEUR

Jugement élogieux

Soucis

Pureté

Comportement extrêmement ennuyeux

Refoulement des sentiments

Politesse

Mise au clair des notes

Recherches à entreprendre

Allez à la charte zodiacale

Insécurité

Ordre

Allez à la charte zodiacale

Colite

Problèmes nerveux

Hernie

Informaticien

Secrétaire

Psychiatre

Indigestion

Médecin

Appendicite

Chercheur

Allez à la charte zodiacale

Allez à la charte zodiacale

SANTÉ — CARRIERE

BALANCE

Harmonie, Paix, Compromis, Gouverne les reins

ÉLÉMENT : AIR

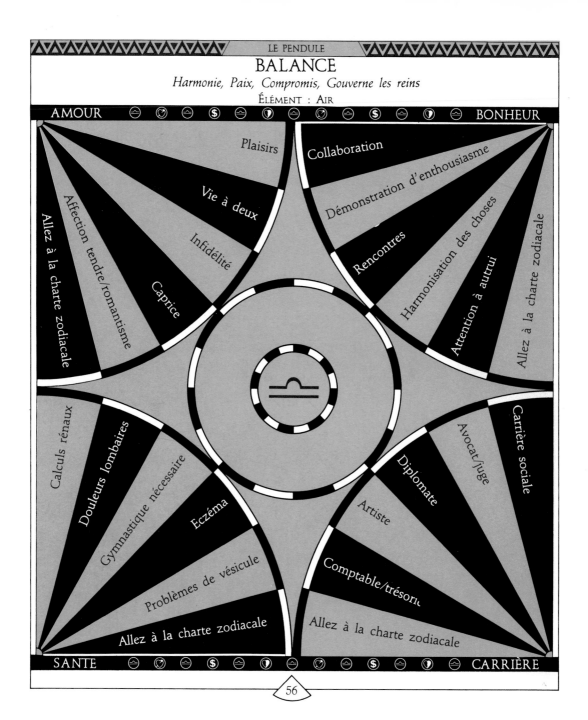

AMOUR — BONHEUR

Plaisirs

Collaboration

Vie à deux

Démonstration d'enthousiasme

Infidélité

Rencontres

Harmonisation des choses

Attention à autrui

Affection tendre/romantisme

Allez à la charte zodiacale

Allez à la charte zodiacale

Caprice

Calculs rénaux

Douleurs lombaires

Gymnastique nécessaire

Eczéma

Problèmes de vésicule

Allez à la charte zodiacale

Diplomate

Avocat/juge

Carrière sociale

Artiste

Comptable/trésorier

Allez à la charte zodiacale

SANTE — CARRIÈRE

SCORPION
Passion, Intransigeance, Gouverne les organes sexuels
ÉLÉMENT : Eau

AMOR — BONHEUR

Vivacité

Exercice des pouvoirs mentaux

Tout ou rien

Plaisanteries

Diversité/variation

Entêtement

Solitude (pour un temps)

Provocation/étrangeté

Allez à la charte zodiacale

Puissance

Obscurcissement

Allez à la charte zodiacale

Excès dans les deux sens

Mystère...

Prostate

Problèmes ovariens

Problèmes vasculaires

Allez à la charte zodiacale

Médium

Homme d'affaires

Employé des pompes funèbres

Détective/espion

Psychiatre

Allez à la charte zodiacale

SANTÉ — CARRIÈRE

SAGITTAIRE

Expansion, Exploration, Gouverne les hanches et les cuisses

ÉLÉMENT : FEU

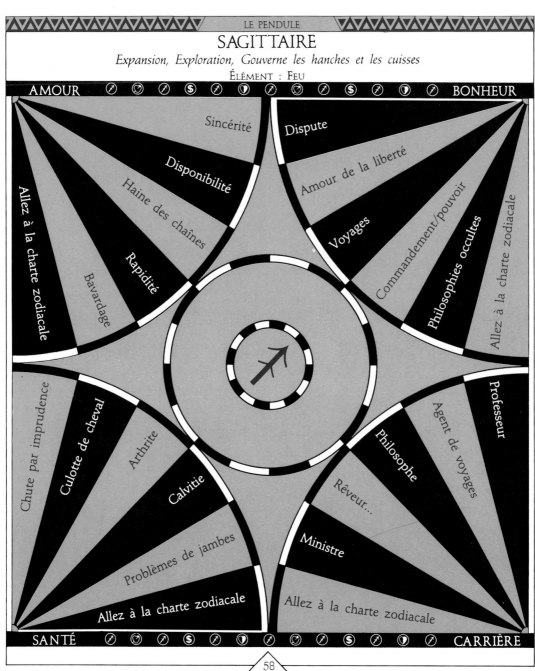

AMOUR

BONHEUR

Sincérité

Dispute

Disponibilité

Amour de la liberté

Haine des chaînes

Commandement/pouvoir

Voyages

Rapidité

Philosophies occultes

Bavardage

Allez à la charte zodiacale

Allez à la charte zodiacale

Chute par imprudence

Professeur

Culotte de cheval

Agent de voyages

Arthrite

Philosophe

Calvitie

Rêveur...

Problèmes de jambes

Ministre

Allez à la charte zodiacale

Allez à la charte zodiacale

SANTÉ

CARRIÈRE

CAPRICORNE

Ambition, Prudence, Gouverne les genoux

ÉLÉMENT : TERRE

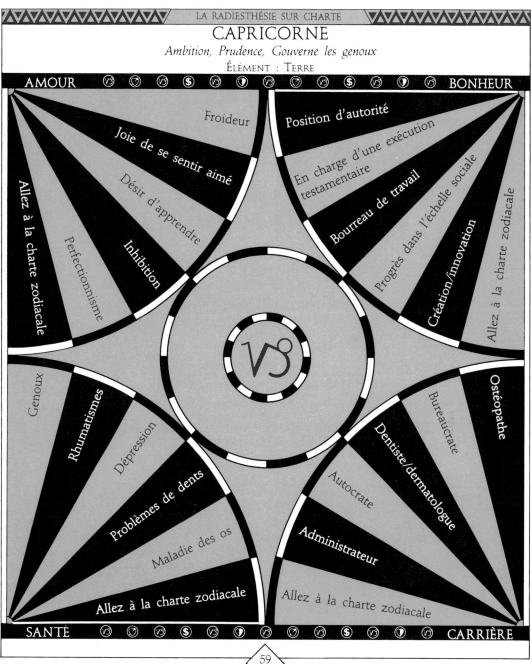

AMOUR

BONHEUR

SANTÉ

CARRIÈRE

Froideur

Position d'autorité

Joie de se sentir aimé

En charge d'une exécution testamentaire

Bourreau de travail

Désir d'apprendre

Progrès dans l'échelle sociale

Création/innovation

Allez à la charte zodiacale

Perfectionnisme

Inhibition

Allez à la charte zodiacale

Genoux

Rhumatismes

Dépression

Problèmes de dents

Maladie des os

Autocrate

Administrateur

Dentiste/dermatologue

Bureaucrate

Ostéopathe

Allez à la charte zodiacale

Allez à la charte zodiacale

VERSEAU

Indépendance, Humanisme, Gouverne la circulation et les chevilles

ÉLÉMENT : AIR

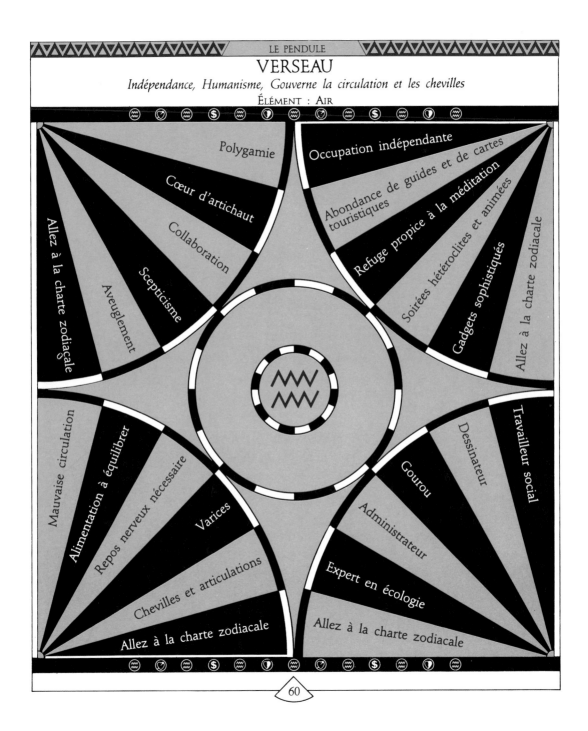

Polygamie

Occupation indépendante

Cœur d'artichaut

Abondance de guides et de cartes touristiques

Collaboration

Refuge propice à la méditation

Soirées hétéroclites et animées

Scepticisme

Gadgets sophistiqués

Aveuglement

Allez à la charte zodiacale

Allez à la charte zodiacale

Mauvaise circulation

Travailleur social

Alimentation à équilibrer

Dessinateur

Repos nerveux nécessaire

Gourou

Varices

Administrateur

Chevilles et articulations

Expert en écologie

Allez à la charte zodiacale

Allez à la charte zodiacale

POISSONS

Émotivité, Sacrifice, Gouverne les pieds

ÉLÉMENT : EAU

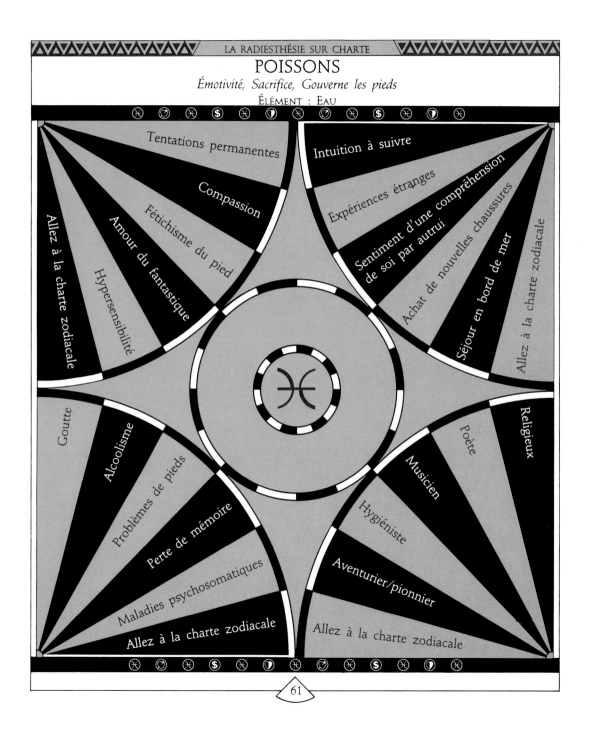

CHARTE ZODIACALE
Comment le problème peut-il se résoudre ?

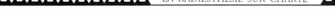
LA CHARTE DES MAISONS ASTROLOGIQUES

Si vous souhaitez pousser l'investigation, vous pouvez travailler sur la charte des Maisons astrologiques (donnée deux pages plus loin). Nos vies sont composées de différentes sphères d'activité : le sentiment que nous avons de nous-mêmes ; nos relations familiales, amicales et professionnelles ; notre métier ; nos structures sociales, etc.

Certains systèmes de divination coupent l'existence humaine en tranches où peuvent s'exprimer les divers aspects de notre être. Par exemple, le Tarot est composé de soixante-dix-huit lames ; le Yi king de soixante-quatre hexagrammes ; les runes nordiques de vingt et une figures ; le Tao de deux forces contraires et complémentaires, le yin et le yang.

L'astrologie, quant à elle, propose notamment une division par douze (les douze signes zodiacaux). Chaque sphère d'activité correspond à un signe

Ce très ancien symbole chinois exprime l'équilibre entre le yin réceptif et le yang actif, les deux forces complémentaires de l'univers. On constate qu'il est impossible d'avoir une énergie totalement yang puisque le cœur restera toujours yin, et inversement.

(Bélier, Taureau, etc.). Chaque signe possède des correspondances avec les douze Maisons. C'est un jeu d'interrelations assez complexe entre les planètes et leurs archétypes. La charte des Maisons doit essentiellement vous aider à accroître et à mieux utiliser vos atouts et votre énergie dans les douze secteurs d'existence.

Les douze Maisons représentent les différentes scènes sur lesquelles nous jouons au jeu de la vie — personnelle, familiale, professionnelle et sociale. La première Maison commente notre personnalité et l'image que les autres ont de nous : l'apparence extérieure aussi bien que la constitution physique, l'hérédité et le tempérament. Elle donne des indications sur la vie du sujet en général et ses possibilités de réalisation.

La deuxième Maison est celle du travail individuel et des ressources personnelles, des biens acquis par l'effort, des gains et des pertes financières, de la gestion des possessions terrestres et domestiques, des aptitudes à gagner de l'argent.

La troisième Maison exprime l'environnement familial (surtout les frères et les sœurs, mais aussi les voisins) ; elle donne des indications sur les créations intellectuelles, les études, les écrits, l'éducation des enfants, les parents proches, les petits voyages que le sujet effectuera et la prise de conscience individualisante prenant forme à partir de l'inconscient collectif.

La quatrième Maison fait référence à l'archétype de la mère, à l'hérédité, à la vie adulte du sujet, à ses racines psychologiques et familiales. Elle donne des indications également sur l'héritage du passé et sur l'habitat.

La cinquième Maison commente essentiellement la vie sentimentale et l'esprit de jeu : relations amoureuses, plaisirs, vie artistique (ou enfants et leur éducation), jeux et sports, expression de soi, habillement, gains dus au hasard, spectacle, enseignement, etc.

La sixième Maison exprime le travail obligé, le service collectif, les habitudes et tout ce qui a trait à la santé (hygiène, alimentation, évolution des maladies).

La septième Maison est celle du mariage, des engagements, des contrats et des associations. C'est aussi celle des ennemis déclarés, des procès, de la vie mondaine et des relations sociales en général. Retenons que notre pire ennemi peut être nous-même (notre « ombre »).

La huitième Maison est celle de la mort symbolique et de la régénération : transfiguration, héritages, changements radicaux, renouvellements, dons, legs, pensions, taxes et finances du partenaire. D'où sa connotation de sexualité. Son aspect « souterrain » inclut également l'occultisme, l'archéologie, la médecine, les pouvoirs secrets...

La neuvième Maison s'attache plus particulièrement aux travaux de l'esprit : idéal, recherche, hautes études, philosophie, religion, spiritualité,

CHARTE DES MAISONS ASTROLOGIQUES

Dans quel secteur la solution se situe-t-elle ?

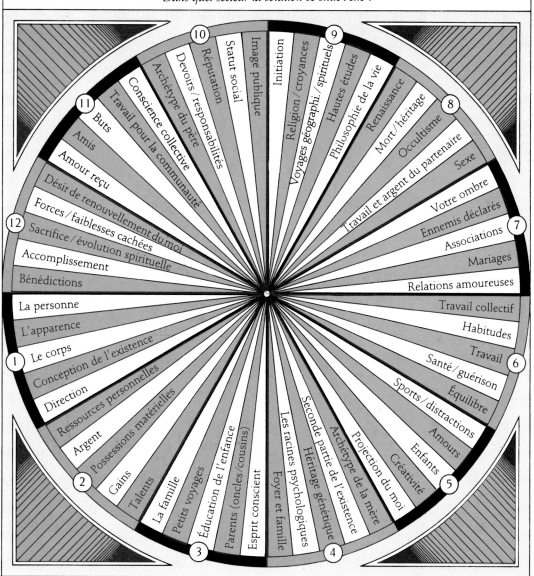

10 — Réputation · Devoirs / responsabilités · Statut social · Image publique

11 — Archétype du père · Conscience collective · Travail pour la communauté

Buts · Amis · Amour reçu · Désir de renouvellement du moi

12 — Forces / faiblesses cachées · Sacrifice / évolution spirituelle · Accomplissement · Bénédictions

1 — La personne · L'apparence · Le corps · Conception de l'existence · Direction

9 — Initiation · Religion / croyances · Voyages géographi. / spirituels · Hautes études · Philosophie de la vie

8 — Renaissance · Mort / héritage · Occultisme · Travail et argent du partenaire · Sexe

7 — Votre ombre · Ennemis déclarés · Associations · Mariages · Relations amoureuses

6 — Travail collectif · Habitudes · Travail · Santé / guérison · Équilibre

2 — Ressources personnelles · Argent · Possessions matérielles · Gains · Talents

3 — La famille · Petits voyages · Éducation de l'enfance · Parents (oncles / cousins) · Esprit conscient

4 — Foyer et famille · Les racines psychologiques · Héritage génétique · Seconde partie de l'existence · Archétype de la mère

5 — Projection du moi · Créativité · Enfants · Amours · Sports / distractions

spéculations abstraites, lois, sciences, grands voyages à l'étranger, échanges commerciaux.

La dixième Maison réfère à la vie sociale, au crédit accordé par les autres, à la carrière, vocation et profession librement choisie, aux honneurs et au pouvoir, aux devoirs et responsabilités, bref l'image publique de l'individu (c'est l'archétype du père).

La onzième Maison parle des amitiés et du sens collectif que peut avoir l'individu : relations et sympathies, travail bénévole pour la communauté, buts, projets et espoirs ; ajoutons la publicité et la politique, voire les protections.

La douzième Maison est celle des épreuves, des forces et des faiblesses cachées, du sacrifice obligé (avec ce qu'il implique de renouvellement et d'évolution spirituelle) ; c'est aussi la Maison de l'accomplissement, de la finalité et de la joie du travail achevé. Ajoutons les « bénédictions » : l'aide du destin...

Observons que le cheminement d'une Maison à l'autre s'effectue dans le sens inverse des aiguilles d'une montre.

Vous pouvez utiliser cette charte de diverses manières. En premier lieu, lorsqu'un problème surgit alors que vous êtes en train de travailler sur une charte solaire (associez alors le système du *oui-non*). Imaginons que vous ayez de mauvais pressentiments, mais que vous ignoriez d'où cela peut venir.

Prenez la charte des Maisons, la première Maison se trouvant à votre gauche (entre 8 et 9 heures sur l'horloge). Tenez le pendule hors de la charte et demandez : « Je veux définir la raison pour laquelle j'ai des angoisses. Puis-je ? Dois-je ? Suis-je prêt ? » Si toutes les réponses sont oui, placez votre pendule au-dessus du centre de la charte.

« Quelle est l'origine de cette appréhension ? Dans quel secteur trouverai-je cette menace d'orage ? » Si la position de recherche est l'immobilité, le pendule va se mettre à osciller au-dessus de deux Maisons opposées. Pointez un doigt sur l'une de ces Maisons : « Est-ce dans cette Maison ? » Si c'est oui, vous y êtes. Si c'est non, c'est la Maison opposée. Vérifiez par « Est-ce là la vérité ? »

Si vous êtes sûr de vous pour trouver la direction, vous gagnerez du temps.

Décidons que l'origine de vos appréhensions se situe en Maison 9 (philosophie de la vie, hautes études, etc.). Demandez au pendule de trouver à présent dans quelle tranche précise de la neuvième Maison se trouve l'indice.

Ou vous obtenez directement la réponse, ou vous tenez votre pendule au-dessus de la charte oui, non, peut-être, et vous citez successivement les cinq « tranches » composant la Maison 9 : « L'origine de mon anxiété se situe-t-elle dans la philosophie de la vie ? Dans de hautes études à effectuer ? », etc. Il s'agit, par exemple, des hautes études. « Est-ce là la vérité ? » Oui.

Ainsi, vous savez que votre angoisse provient de projets ou de la nécessité d'études à faire sur le tard (formation pour adultes, recyclage, etc.).

Vous ne savez pas à quoi cette formation réfère ? Tenez votre pendule au-dessus de votre charte solaire et en position de recherche. Observez vers lequel des quatre secteurs il entame un mouvement (Amour, Bonheur, etc.). Cela vous donnera une idée du secteur qui bénéficierait d'une nouvelle réflexion. Si c'est vers le Bonheur, cela pourrait signifier, entre autres, que l'escalade du rocher que vous avez entrepris de conquérir devient dangereuse et que vous feriez bien de vous livrer à un entraînement de plus haut niveau ; si c'est vers la Carrière, peut-être est-il temps de prendre des cours de formation permanente ; si c'est vers l'Amour, tout ce que vous lirez dans ce secteur sera suffisamment révélateur pour vous donner envie de perfectionner vos talents en la matière (plongez-vous dans le tantrisme !...). On peut toujours faire des progrès. Enfin, si c'est vers la Santé, vous devez rester attentif à votre état nerveux.

Utilisez les questions par oui-non pour clarifier des situations et terminez toujours par : « Est-ce là la vérité ? »

Y voyez-vous à présent plus clair sur les raisons de vos angoisses ? En utilisant cette même technique, vous pouvez obtenir des information supplémentaires dans d'autres Maisons (secteurs d'existence).

LA CHARTE DES PLANÈTES

La charte des planètes est un autre instrument merveilleux pour étudier notre façon de nous comporter dans la vie. Les différents rôles que nous pouvons jouer sont symbolisés par les onze planètes connues : les deux luminaires (Soleil, Lune) et les cinq planètes visibles (Mercure, Vénus, Mars, Jupiter, Saturne) représentent les aspects fondamentaux de notre comportement (notre être profond, nos sentiments, nos pensées, nos amours, nos actes, l'alternance de nos niveaux d'énergie).

Au-delà de ces sept planètes (souvent apparentées aux sept notes de la gamme), on trouve les planètes « invisibles » (à l'œil nu), semblables à des harmoniques situées sur des octaves supérieures inaudibles. Certains astrologues présument qu'il reste encore trois planètes à découvrir dans notre système.

Chiron (découvert en 1970), Uranus (en 1781), Neptune (en 1846) et Pluton (en 1930), planètes lointaines comme des rêves, représentent les aspects les moins évidents de notre nature : la prise de résolution, la coupure avec le passé, l'éveil à une conscience plus élargie, le changement d'état, la transformation et le renouvellement.

Dans la charte des planètes, vous trouverez la description des différents visages que peuvent prendre ces changements : l'effet de miroir, la raison, l'amour, l'action, etc. Cette charte répond à des questions comme : « Comment puis-je améliorer mes rapports avec mon père ? » ou bien « De quelle nature sera le changement qui s'annonce ? » ou encore « Quel devra être mon rôle pour résoudre le problème de façon équitable pour tous ? »

Étant donné que personne n'exploite jamais à fond ni simultanément toutes les potentialités offertes par une même planète, il est recommandé de travailler au-dessus de cette charte plusieurs fois de suite : vous obtiendrez ainsi la description des possibilités subsidiaires auxquelles vous n'aviez pas songé.

Exemple : vous avez des problèmes avec votre père. Prenez la charte des planètes. Le pendule indique Mercure (messager des dieux, esprit, etc.) : le problème se situe au plan de la communication entre votre père et vous. Essayez de préciser les autres influences qui peuvent intervenir : le pendule indique alors Saturne. Lisez les définitions de Saturne (restriction, inhibition, etc.) : vous vous sentez limité dans le rôle que vous devez jouer vis-à-vis de votre père ? Peut-être était-il trop sévère avec vous dans l'enfance, et cela a marqué douloureusement votre inconscient au point que, aujourd'hui encore, un sentiment pénible vous empêche de vivre avec lui une relation confiante et chaleureuse ? Utilisez les questions par *oui-non* pour vérifier. Puis prenez

CHARTE DES PLANÈTES
Quel rôle dois-je jouer pour résoudre le problème ?

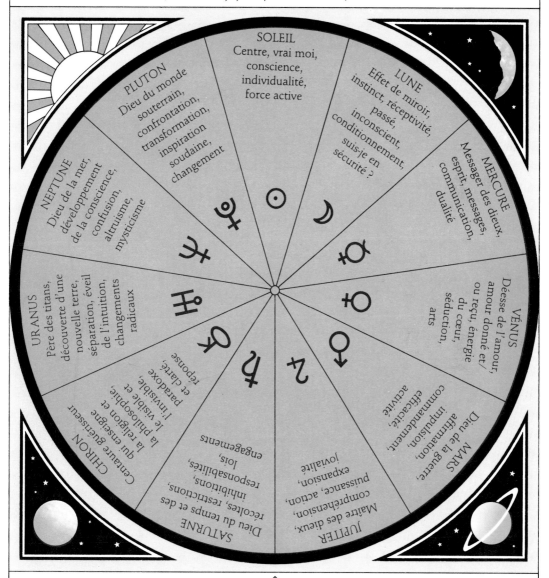

sereinement la mesure de ces craintes et de ces ressentiments qui appartiennent au passé, et ne laissez plus rien ni personne vous les faire revivre de manière répétitive, alors que la situation a complètement changé.

Pensez à tout problème que vous pourriez rencontrer dans votre vie actuelle. La charte des planètes est un moyen efficace d'explorer les rôles que vous pourriez assumer dorénavant pour entraîner un changement profitable. Les planètes qui traversent notre ciel symbolisent des énergies disponibles à tout moment pour nous aider à résoudre nos difficultés. Exposez clairement ce qui ne va pas et cherchez honnêtement la solution. Maintenez le pendule au-dessus du pivot central de la charte des planètes et demandez, par exemple : « Que faire pour résoudre ce problème ? A quel type d'énergie puis-je/ dois-je faire appel ? » c'est-à-dire « De quelle planète-énergie dois-je me méfier parce qu'elle encourage cette situation conflictuelle ? » Observez la réponse du pendule.

Les planètes représentent des rôles, des archétypes, des comportements applicables aux différents secteurs d'existence. Les Maisons décrivent les champs d'expérience, les scènes où se déroule le théâtre de la vie. Les signes zodiacaux commentent le thème ou le style des événements qui se déroulent. Avec ces différentes chartes, vous connaîtrez mieux et les autres, et vous-même.

Supposons que vous ayez une difficulté avec un ami. Que faire ? Exposez le problème et tenez le pendule au-dessus de la charte des planètes : « Quelle planète pourrait m'aider à résoudre ce conflit ? » Après avoir obtenu une réponse, prenez la charte des Maisons : « Dans quel secteur de ma vie ce problème intervient-il ? » Puis, au-dessus de la charte zodiacale : « Comment connaîtrai-je la solution ? Grâce à quel signe ? » Le pendule indiquera un des douze signes. Prenez la charte solaire correspondante et déterminez dans quelle partie vous devez chercher (Amour, Bonheur, etc.). Sur cette charte solaire, vous pouvez lire plusieurs termes qui décrivent succinctement le signe : ces mots réfèrent à la question : « Comment ? » Vous pouvez aussi préciser votre information en interrogeant le pendule sur chacune des quatre parties (Amour, Bonheur, etc.) concernant le signe.

D'une manière générale, et rapide, les planètes répondent à la question « *Quoi ?* », les maisons à la question « *Où ?* » et le signe solaire à la question

« *Comment ?* » (avec, en plus, grâce à la division en quatre parties, des renseignements plus spécifiques).

CONNAITRE LE TEMPS QU'IL FERA DEMAIN

Prévoir les intempéries, comme plonger dans le futur, est délicat, même pour un radiesthésiste expérimenté. Travaillant moi-même sur ce sujet, je me suis penché plus particulièrement sur les questions suivantes :

1. Quelle sera la température au thermomètre quand je sortirai de chez moi demain matin ?
2. Comment sera le ciel lorsque je mettrai le nez dehors ?

La charte graduée de 0 à 100 est le moyen le plus immédiat pour déterminer la température.

Si vous vivez dans un pays où la température peut descendre au-dessous de 0 °C, il vous faudra déterminer si le degré trouvé se situe au-dessus ou au-dessous de 0 °C. Vous avez noté, je suppose, que sur la charte graduée étaient inscrits un + (oui) et un − (non). Voici donc comment procéder.
Utilisez soit la charte oui-non-peut-être *(oui = + et non = −), soit les réponses pendulaires par* oui-non, *soit les réponses pendulaires lorsque vous tenez votre instrument au-dessus du + en demandant : « La température sera-t-elle* au-dessus *de 0 °C ? »*
Si la réponse est non, *refaites la même opération au-dessus du − et demandez : « La température sera-t-elle au-dessous de 0 °C ? » Si la réponse est* oui, *vous savez ce qui vous attend dehors. Vérifiez tout de même avec : « Est-ce là la vérité ? »*
Ensuite, vous pourrez tenir votre pendule au-dessus de la charte graduée : il indiquera la température exacte. Vérifiez toujours en finale par : « Est-ce là la vérité ? »

Sur la charte des intempéries, vous trouverez sept possibilités : ciel bleu ensoleillé, soleil et quelques nuages, nuageux avec éclaircies, nuageux, brouillard, pluie et neige.

Maintenez le pendule au-dessus du pivot central de la charte et demandez : « Comment sera le ciel demain matin ? » Le pendule vous donnera la réponse.

CHARTE DU TEMPS QU'IL FERA DEMAIN

Demain à mon réveil, comment sera le ciel ?

CIEL BLEU ENSOLEILLÉ

SOLEIL ET QUELQUES NUAGES

NEIGE

NUAGEUX AVEC ÉCLAIRCIES

PLUIE

NUAGEUX

BROUILLARD

Effectuez ces opérations la veille au soir ; il ne vous restera plus qu'à vérifier vos résultats au petit matin.

J'attire votre attention sur l'aspect parfois frustrant de ces prévisions météorologiques.

Si la technique indiquée ne vous semble pas très probante au vu des résultats obtenus, prenez le temps de mieux analyser le processus. Avez-vous bien respecté l'ordre des étapes ? Avez-vous correctement formulé votre question ? En tout état de cause, cela vous permettra de faire le point sur vos progrès.

Sachez aussi que, comparativement à la notion d'orbe en astrologie, on peut en principe juger satisfaisante une réponse n'ayant pas plus de 3 à 5 degrés d'écart avec la température réelle. Considérez donc cela comme un encouragement, et tendez à affiner votre technique.

On peut se servir de l'ensemble de ces chartes dans des domaines extrêmement variés. Si la prospection pétrolière n'a plus de secrets pour vous, vous pouvez commencer à travailler sur toutes sortes de documents (cartes, photos, etc.). Vous n'êtes limité que par votre imagination. Amusé, piqué au vif ou frustré, vous trouverez toujours un intérêt à vous perfectionner et à accroître votre expérience.

Une des définitions de Mercure, le messager des dieux, l'associe à la dualité. Donc au phénomène de l'oscillation, de la succession des contraires... C'est exactement ce que fait votre pendule. Le pendule est lui aussi un messager, un instrument mercurien qui nous met en rapport à la fois avec le rationnel et l'intuitif, le savoir et la perception. Considérez-le donc comme l'ami, le conseiller qui cheminera à vos côtés toute votre vie.

CHAPITRE 4

LES APPLICATIONS
DE LA RADIESTHÉSIE

T rop d'adeptes, qui ont d'abord obtenu d'assez bons résultats avec le pendule, se sont ensuite peu à peu découragés faute de progrès spectaculaires. C'est le contraire que vous devez faire : recherchez constamment de nouveaux champs d'application, afin de vous exercer et de développer votre expérience. Par exemple, chez vous, le pendule peut intervenir lorsque vous avez égaré quelque chose. Si vous veillez à poser la bonne question, les résultats peuvent être étonnants.

Nous avons établi ensemble, avec des exercices adéquats, la liste des signaux pendulaires qui indiquent que (et comment) vous approchez de la cible lorsque vous vous trouvez dans son environnement. Explorons à présent les applications de la recherche sur plan. Par exemple, le domaine de la nutrition : vous pouvez parfaitement déterminer les aliments auxquels vous êtes allergique. Les remèdes par les fleurs qui agissent directement sur les émotions sont certainement encore inconnus de vous, mais pratiquer la radiesthésie sur eux vous ouvrira de nouvelles possibilités passionnantes. Vous découvrirez notamment les liens qu'ils entretiennent avec les chartes astrologiques (cf. chapitre précédent).

Que faites-vous lorsque vous avez perdu quelque chose et que vous êtes sûr que l'objet se trouve bel et bien dans votre maison ? Vous prenez votre pendule, bien évidemment ! Employez la technique de la direction, et le pendule vous conduira à l'objet en passant par différentes phases : balance-

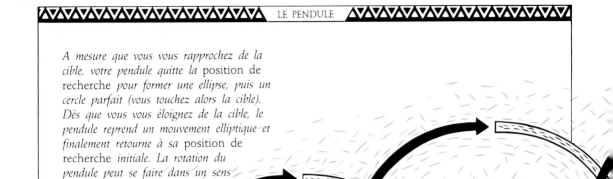

A mesure que vous vous rapprochez de la cible, votre pendule quitte la position de recherche pour former une ellipse, puis un cercle parfait (vous touchez alors la cible). Dès que vous vous éloignez de la cible, le pendule reprend un mouvement elliptique et finalement retourne à sa position de recherche initiale. La rotation du pendule peut se faire dans un sens ou dans l'autre.

POSITION DE RECHERCHE

ELLIPSE

ment pour la direction ; ellipse pour « Vous brûlez ! » ; cercle pour « Vous y êtes ! ». Vous obtenez ainsi successivement la direction puis la position (cf. figure). Voici un excellent exercice :

Mettez une pièce de monnaie devant vous sur la table. Prenez un moment pour vous concentrer et vous « connecter » avec l'objet. Demandez au pendule de vous indiquer la direction de la pièce. (Bien sûr, vous voyez la pièce, mais, pour cet exercice, faites comme si cela n'était pas possible.)

Peu importe la position de recherche. Tendez la main dans le prolongement de la direction donnée par les oscillations pendulaires. Au fur et à mesure que vous approchez de la cible, votre pendule va commencer à tracer une ellipse, votre pouce et votre index suivant l'axe principal de cette ellipse. Approchez-vous encore de la pièce de monnaie : l'ellipse s'arrondit progressivement jusqu'à devenir un cercle parfait lorsque votre main survole la cible. Dépassez à présent la pièce : le pendule revient à

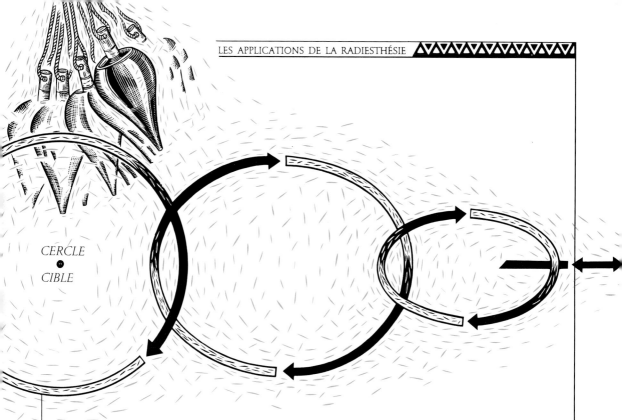

CERCLE
CIBLE

son mouvement elliptique. Éloignez-vous encore plus : le pendule retourne à sa position de recherche *initiale.*

Placez maintenant un livre par terre, à l'autre bout de la pièce. Faites le même exercice, mais en vous déplaçant. La seule différence réside dans l'allongement de la distance parcourue et de la durée pendant laquelle le pendule forme une ellipse. Le fait que vous soyez debout augmente encore les distances. Restez concentré et ne forcez pas la réponse.

Rappelons que la giration (ellipse ou cercle) peut se faire dans un sens ou dans l'autre, cela n'a aucune importance.

Vous devez maintenant être en mesure de rechercher n'importe quoi. Je connais un menuisier qui utilise son fil à plomb pour repérer les poutres à l'intérieur des cloisons. Vous pouvez certainement, dès aujourd'hui, retrouver une bague ou un bijou perdus, déterminer la raison de l'état ou du mauvais fonctionnement d'un objet en découvrant la pièce défectueuse. Un garagiste canadien détecte ainsi le mécanisme déficient dans les moteurs de voitures. D'autres, encore, parviennent à réparer des ordinateurs après une auscultation en règle par le pendule !

N'oubliez pas de faire intervenir la recherche sur plan, surtout si vous avez à parcourir de grandes distances, vous gagnerez du temps. Tout ce dont vous avez besoin est un tracé de l'endroit que vous voulez prospecter : cela peut être une carte d'état-major, une photo ou un simple croquis que vous ferez de mémoire. Utilisez alors la triangulation ou la technique du quadrillage (comme pour les gisements de pétrole sur la carte mondiale).

Un plan de votre maison est également très utile. Dessinez, par exemple, le plan du premier étage. Après les questions préliminaires, demandez : « Ce que je cherche se trouve-t-il bien dans cette maison ? » Si oui, procédez exactement comme pour la recherche des gisements de pétrole. Puis allez vers l'endroit de la maison que le pendule indiquera et utilisez la triangulation pour mettre la main sur l'objet perdu.

Il y a quelque temps, je voulais me rendre à la basilique Sainte-Anne-de-Beaupré, au Québec. C'est l'un des endroits les plus visités d'Amérique du Nord, pour sa fontaine et son tombeau réputés miraculeux. En tant qu'étudiant des forces énergétiques de notre Terre, je *savais* intuitivement qu'il existe toujours de puissants centres de forces dans les lieux dits sacrés. Mentalement, j'analysai la configuration de la basilique, bâtie en forme de croix comme beaucoup de cathédrales catholiques. Normalement, le cœur de la centrale d'énergie devait se situer sous le maître-autel, tout au fond, après les stalles du chœur. Mais mon « œil intérieur » fut attiré par l'extrémité du bras gauche du transept. (Le transept est l'espace transversal à la nef qui représente architecturalement les bras de la croix du Christ.) Quelques heures plus tard, je me rendis réellement à la basilique. En descendant la nef vers le maître-autel et en arrivant à la hauteur du transept, je regardai vers ma gauche et là, au fond, se trouvait l'objet vers lequel allaient toutes les prières des pèlerins pour obtenir la guérison. En dehors d'un bout d'os de poignet, censé être une relique de sainte Anne, la mère de la Vierge, on pouvait voir une énorme colonne autour de laquelle les fidèles venaient s'agenouiller et prier.

Accrochés à cette colonne, il y avait tous les témoignages possibles et imaginables des pouvoirs de la sainte : lunettes, cannes, béquilles, attelles et autres prothèses devenues inutiles aux pèlerins guéris. De toute évidence, le lieu le plus « chargé », le plus puissant de cette basilique était là (au nord-ouest). Mon travail sur plan s'était révélé exact.

La radiesthésie appliquée a l'alimentation et aux allergies

Le pendule peut vous être d'un grand secours si vous devez vous astreindre à un régime quelconque. Beaucoup de gens font référence à des diététiques diverses telles que la macrobiotique, les cures de levure, les régimes sans sucre, sans sel ou hypocaloriques, etc. « Dois-je manger cette nourriture ? » est une question typique à poser à son pendule.

Sur le chemin de la maîtrise en radiesthésie, vous passerez par des rites obligés : d'abord les « Ah ! Ah ! » lorsque, pour la première fois, le pendule fonctionnera « tout seul » ; puis viendra la grande épreuve, le jour où vous devrez pratiquer devant d'autres personnes.

La première fois que je dus montrer ce que je savais faire en public, j'accompagnais un groupe d'Américains férus d'archéologie préhistorique, discipline encore très énigmatique. Arrivé sur le site, je pris peur : ces archéologues compétents allaient probablement se moquer de mes pratiques de « sourcier » (ou de sorcier...). Je m'esquivai derrière un rocher et interrogeai fébrilement mon pendule sur les énergies enfouies dans ce sol antique. Finalement, les gens vinrent me demander avec intérêt ce que je faisais dans mon coin. Une petite voix me souffla : « Vas-y », et je sortis mon pendule à aura (pendule spécial et très onéreux qui permet de délimiter les champs de forces). Et puis quoi ? Le ciel ne me tomba pas sur la tête ! Ces gens furent tout simplement passionnés par ce que je faisais. Depuis lors, je suis toujours resté très décontracté dans de telles situations.

Mon amie Betts Albright, radiesthésiste émérite, quant à elle, sort imperturbablement son pendule dans toutes les épiceries où elle se rend pour faire ses courses. Elle repère ainsi l'état de fraîcheur des fruits et légumes !

Pratiquer la radiesthésie en public vous arrivera tôt ou tard. Ce sera peut-être à l'occasion d'un problème d'ordre alimentaire. Une de mes amies est hypoglycémique et elle me raconta que, durant ses années de collège, ses parents avaient payé une somme supplémentaire pour que le cuisinier de la cantine lui prépare des repas sans hydrates de carbone. Il faut croire que cette requête fut jugée ridicule car on n'en tint nul compte. Six mois plus tard, le métabolisme de mon amie était si perturbé qu'elle fit une dépression nerveuse et quitta le collège.

Si, à cette époque, elle avait consulté le pendule à propos des plats qu'on lui présentait, elle aurait *su* qu'ils ne lui convenaient pas. Elle ne retrouva son équilibre que lorsqu'elle s'occupa elle-même de son alimentation.

La charte graduée de 0 à 100 peut également vous aider dans ce domaine : « Si le meilleur aliment pour moi est 100, le pire 0, quel est le chiffre pour cette petite friture ? » (Mais j'imagine que, même sans le pendule, vous pouvez répondre à cette question.)

Les problèmes d'allergie peuvent être élucidés grâce à la radiesthésie, qui vous permettra d'identifier des allergènes, même au sein d'aliments apparemment inoffensifs dont vous ne connaissez pas, en fait, tous les composants. Si vous avez un jour une réaction allergique dont vous ne parvenez pas à déceler la provenance, interrogez le pendule : « Est-ce quelque chose que j'ai mangé ? Que je respire ? Suis-je entré en contact avec une substance lorsque je marchais dans la rue ? S'agit-il d'un seul allergène ? » Vous pouvez très rapidement cerner le problème par les questions *oui-non*. La charte graduée, quant à elle, vous indiquera à quel point telle substance peut vous affecter.

Une autre de mes amies, Freddie, possède des listes complètes de tous les produits pouvant entraîner des réactions allergiques, depuis les produits de ménage jusqu'à certaines viandes, des fruits exotiques ou des légumes. Quand elle consulte le pendule pour quelqu'un d'autre, elle passe en revue la liste complète, avec le pendule en *position de recherche*, et, lorsqu'elle approche d'une substance toxique pour la personne, le pendule commence à se manifester (ellipse) : si elle est directement au-dessus de la substance incriminée, le pendule indique : « C'est cela » (un cercle).

Freddie tient aussi compte des additifs chimiques que l'on rencontre dans la nourriture. Le pendule indiquera ceux qu'il faut éviter à tout prix. Elle possède tout de même une liste des composants non dangereux, des vitamines et des sels minéraux nécessaires à son bien-être.

Votre intuition doit donc faire alliance avec votre raisonnement. Par exemple, vous n'ignorez pas que certaines vitamines (A et D) ne doivent pas être prises à haute dose.

Faites la liste des aliments que vous consommez, et étudiez-les au pendule. Dessinez éventuellement une charte type de ces aliments. Posez ensuite toutes les questions que vous voulez, à condition d'être juste et précis.

Ne pensez pas que les chartes que vous trouverez dans ce livre soient exclusives. Vous pouvez en dessiner vous-même beaucoup d'autres, selon les sujets abordés. Essayez, par exemple, de définir la meilleure destination possible pour vos prochaines vacances.

LES REMÈDES PAR LES FLEURS

Si le pendule peut vous indiquer les nourritures à préférer ou à éviter, il peut aussi être d'une aide inestimable au plan émotionnel. Les remèdes par les fleurs sont aptes, en effet, à traiter d'aussi mystérieuses émotions que la colère, la peur ou le chagrin. L'essence de certaines fleurs possède des propriétés qui ont une action sur les comportements émotifs.

Imaginons que vous décidiez de tenir un compte de vos rêves, mais que vous ayez un mal fou à vous les remémorer. Parmi les fleurs dont l'expérience a démontré qu'elles avaient une influence sur ce plan, le myosotis (dont le « message » traditionnel se trouve être « Ne m'oubliez pas »... Mais c'est probablement un hasard !) est à retenir. On en trouve dans tous les jardins. Cueillez-en un petit bouquet à midi et mettez-le plusieurs heures en plein soleil dans un verre de cristal rempli d'eau de source. L'essence des fleurs va se diluer dans l'eau sous l'action des rayons solaires.

Mélangez cette eau pour moitié avec un alcool (cognac ou autre) ; versez le tout dans une bouteille et bouchez. Le dosage sera ensuite de quelques gouttes dans un verre d'eau. Vous pouvez utiliser un compte-gouttes pour faire tomber juste ce qu'il faut sur la langue. Le pendule vous dira le nombre de gouttes à respecter. Prenez ce remède juste avant d'aller dormir, avec la ferme intention, cette fois, de vous souvenir de tous vos rêves.

Si vous ne pouvez pas fabriquer vous-même ces potions, il existe sur le marché des coffrets prêts à l'emploi composés des principaux mélanges. Je vous rappelle, toutefois, qu'en cas de troubles de la santé plus graves, vous devrez associer ces remèdes à des soins appropriés, qui seront dispensés par votre médecin.

Les remèdes de Bach (créateur de cette médecine naturelle originale) couvrent toute la gamme des émotions, depuis la crainte et l'angoisse jusqu'au manque d'intérêt pour le présent, la solitude, l'hypersensibilité, les sentiments de dépendance ou de désespoir, le souci exagéré pour le bien-être d'autrui, etc. Ces mélanges sont au nombre de trente-neuf, parmi lesquels se trouve le « remède d'urgence », composé de cinq essences, et qui intervient en cas de choc grave (moral ou physique). Il existe également une excellente charte pour interroger le pendule à propos des remèdes. Mais vous pouvez dessiner vous même cette charte pour faire l'exercice qui suit.

Supposons que vous disposiez de quelques remèdes floraux et que vous travailliez sur les chartes astrologiques du chapitre 3. Vous avez pris conscience que des problèmes affectifs non résolus dans le passé créaient encore en vous des tensions et des angoisses qui revenaient régulièrement à la surface. Essayez de résumer en un mot ou deux ces sentiments négatifs.

Inscrivez à présent le nom des remèdes floraux dont vous disposez et interrogez le pendule. Après la mise en condition classique, dites : « Lorsque ma main sera au-dessus du bon remède pour moi, indique-le-moi. »

Quand vous avez obtenu la réponse, demandez : « Est-ce bien là le meilleur remède pour moi ? » Si oui, étudiez de plus près les qualités thérapeutiques du remède en question. Si la réponse du pendule vous paraît tout de suite appropriée, c'est parfait. Si le résultat ne vous « parle » pas suffisamment, analysez doublement ce résultat : il décrit peut-être quelque chose d'important dont vous n'avez pas conscience ou que vous ne voulez pas vous avouer à vous-même. Cela d'autant plus si vous avez eu une forte réaction de rejet en découvrant le remède floral désigné par le pendule. Et puis n'oubliez jamais de confirmer par : « Est-ce là la vérité ? »

A présent, servez-vous de la charte graduée de 0 à 100 pour déterminer la durée du traitement. Au 0 correspond une période inférieure à une journée, durant laquelle vous prendrez une ou deux gouttes (le pendule le dira) chaque fois que vous y pensez (c'est-à-dire chaque fois que votre intuition vous conduit à y penser). Pendant la prise, méditez sur les qualités du remède.

Peut-être aurez-vous envie de procéder à une approche plus complète et d'accompagner le traitement « intuitivement » choisi par un autre remède que vous déterminerez de façon traditionnelle, c'est-à-dire rationnelle. Faites pour cela le point sur les impressions et les sentiments qui ont résulté de vos travaux sur les chartes astrologiques, puis étudiez la liste des remèdes floraux. Choisissez parmi ceux-ci celui qui, par son action, vous semble le plus approprié à votre état émotif. Ce double diagnostic pour sélectionner !es remèdes floraux offre l'avantage d'une complémentarité qui satisfait à la fois l'esprit rationnel et les choix intuitifs guidés par le travail pendulaire. Vous découvrirez, chemin faisant, que les chartes astrologiques et les remèdes floraux se marient merveilleusement pour présider à maintes transformations personnelles que certains adeptes estiment sans prix.

Le myosotis, comme nous l'avons dit, encourage la mémoire et il vous permettra de vous souvenir du nom des personnes, des rendez-vous importants et, bien évidemment, de vos rêves.

Beaucoup de gens cherchent à se souvenir de leurs rêves et s'essaient à toutes les techniques possibles et imaginables pour parvenir à les noter chaque matin. Si vous avez vous-même essayé, vous devez vous être rendu compte que cela n'est pas chose aisée ! Le fait est que de plus en plus de psychologues, conseillers, psychothérapeutes et autres directeurs de conscience (ou d'inconscient) ont besoin de pénétrer ce domaine secret de l'individu pour, dans un premier temps, analyser minutieusement les symboles et leurs messages, puis les interpréter à des fins de connaissance et de guérison. Lorsque l'on sait combien l'esprit a d'influence sur les réactions du corps et donc sa santé, ce type de recherche ne paraît certainement plus de nos jours vain ou ridicule.

Le travail analytique fait feu de tout bois pour cerner la personne et ses névroses (c'est-à-dire ses souffrances), et l'exploration des rêves est un de ses outils les plus étonnants. Cependant, il faut garder à l'esprit que l'interprétation ultime d'un rêve n'appartient qu'au rêveur lui-même : c'est en effet le message personnel du subconscient au conscient. Le thérapeute ne peut que guider son patient.

De ce fait, il n'existe pas de système unique d'interprétation des rêves, seulement des listes de correspondances statistiques, traditionnelles ou mythiques. Il est donc important que l'individu puisse noter plusieurs de ses rêves au cours d'une période donnée : la fréquence avec laquelle certains thèmes ou symboles reviendront (avec chaque fois une évolution dans les émotions qui les accompagnent) permettra d'effectuer des recoupements significatifs. Il est certain que dans ces conditions les remèdes floraux favorisant la mémorisation des rêves sont très utiles.

De son côté, le pendule peut vous aider dans l'approche intuitive des rêves et l'interprétation de leurs symboles. Si vous obéissez à la théorie qui veut que tel ou tel objet (ou symbole onirique) apparaissant dans vos rêves représente quelque chose d'autre que ce qu'il est, il vous est facile de questionner alors le pendule pour déterminer ce « quelque chose d'autre ». A tous les niveaux de l'interprétation, il est en effet nécessaire de prendre des décisions : la radiesthésie a le mérite de provoquer en vous le processus intuitif poussant à prendre ces décisions.

LA DÉTECTION DE L'EAU

Même si de nombreux radiesthésistes préfèrent aujourd'hui se pencher sur des problèmes de santé, d'aura ou qui relèvent du sacré, il est évident que, dans les vingt-cinq prochaines années, la radiesthésie sera résolument utile pour la recherche d'eau potable.

La pollution affecte presque toutes les nappes phréatiques du globe. C'est un fait reconnu. Mais les radiesthésistes pensent qu'il existe un autre type d'eau, résultat de réactions chimiques qui ont lieu dans les grandes profondeurs de la planète. Cette eau est appelée « primaire » ou « jeune », et elle est différente de celle que nous buvons à table. En effet, elle n'a pas connu le cycle évaporation-pluie-rivière-mer-sous-sol. C'est de l'eau « vierge » en quelque sorte, très propre et intouchée. En principe, elle est potable. C'est ce type d'eau que le radiesthésiste recherche lorsqu'il prospecte un terrain pour trouver l'emplacement d'un puits à creuser.

Mais si vous n'avez jamais approché d'eau primaire, comment pouvez-vous espérer en trouver avec un pendule ? La nature, dans les règnes végétal et animal, nous a donné de multiples signes des affinités que nous entretenons avec eux, comme cette étonnante similitude de notre système veineux avec les ramifications des cours d'eau souterrains, de certains végétaux et de certains animaux. Si vous savez repérer ces signes, vous pouvez détecter l'eau primaire. Les signes rencontrés en surface donnent confirmation des signes appliqués au sous-sol.

Même si vous n'avez pas pour tâche de trouver réellement de l'eau, vous prendrez certainement intérêt à arpenter la campagne pour vous exercer et y découvrir un tas de choses que vous n'aviez jamais remarquées auparavant. Vous commencerez ainsi à capter les forces profondes et merveilleuses de notre planète.

Certaines personnes affirment qu'il est déjà trop tard, que les produits toxiques ont pollué en profondeur toutes les ressources en eau du globe. C'est possible, mais les radiesthésistes savent comment trouver de nouvelles sources qui n'appartiennent pas au cycle habituel de l'eau : pluie, ruisseaux, rivières, lacs et mers (ou passage souterrain emprunté par l'eau qui resurgit sous forme de sources), puis évaporation, nuages et à nouveau précipitation sous forme de pluie.

A l'école, vous avez appris que l'eau se compose de deux éléments chimiques. Une des réactions fondamentales est : acide (acide chlorhydrique) + base (hydroxyde de sodium) = sel (chlorure de sodium) + eau ($Hcl + NaOH = NaCl + H_2O$). Au cœur de la Terre, là où bout le magma central, ce type de réaction chimique a lieu en permanence. A cause de la chaleur extrême qui y règne, les substances liquides se dispersent sous forme de vapeur ; elles s'échappent par les craquelures, les interstices et autres corridors de la croûte terrestre. Sous l'effet de la pression venue des profondeurs, ces vapeurs remontent vers la surface de la Terre, se refroidissent peu à peu et surgissent sous diverses formes : geysers, eaux minérales, sources froides ou brûlantes, etc.

Dans la plupart des cas, cette eau, stockée dans ce que les radiesthésistes nomment un dôme ou puits aveugle, n'atteint jamais l'air libre ; elle est arrêtée à un niveau quelconque par une couche imperméable, comme l'argile. L'eau cherche alors à s'échapper du dôme en s'infiltrant dans toutes les fissures ou veines du sous-sol. Le dôme constitue donc la réserve, le cœur, et les veines agissent comme nos vaisseaux sanguins. Vu du dessus, ce système prend l'allure d'une grosse araignée au corps tout rond d'où partent un certain nombre de pattes (entre cinq et treize).

Parfois, cette eau primaire atteint tout de même la surface de la Terre. C'est ce que nos ancêtres appelaient des sources, fontaines ou puits sacrés. Dans de nombreux cas, cette eau charrie en abondance des éléments divers, produits des différentes réactions chimiques que l'eau a subies. Ces sources sont bien connues pour leur composition minérale. La source du Calice, à Glastonbury (Angleterre), est ferrugineuse : même si sa limpidité est parfaite, elle laisse, avec le temps, des traînées rougeâtres sur la roche. Elle est située au milieu d'un jardin merveilleux et paisible.

Les eaux qui purifient, sanctifient et parfois guérissent, sont visitées chaque année par des milliers de pèlerins. Des sources d'eau primaire existent sur tous les continents du globe, repérées depuis des millénaires par les populations autochtones.

C'est cette eau, qui n'a pas encore atteint la surface de la croûte terrestre, qui fait l'objet des recherches des radiesthésistes lorsqu'ils veulent trouver un « bon courant d'eau ». L'eau que l'on boit couramment, notamment en ville, est une eau plus « âgée » et plus usée. Elle peut même être polluée.

Dans le Vermont, où se tient le quartier général de la Société américaine de radiesthésie, les adeptes recherchent régulièrement de l'eau primaire dans des veines situées entre quinze et soixante-quinze mètres sous terre. Au-delà de cent vingt mètres, l'entreprise est généralement jugée trop hasardeuse pour mériter des travaux, mais on connaît des cas où l'on a creusé avec succès des puits nettement plus profonds. Le meilleur emplacement pour creuser un puits de qualité est à l'intersection de deux veines de bonne eau, là où le débit avoisine vingt litres à la minute toute l'année. Quand je dis « intersection », je n'implique pas que les deux veines soient à la même profondeur : le forage du puits peut atteindre les deux veines l'une après l'autre à des niveaux différents. Creuser au-dessus d'un croisement de courants double les chances d'atteindre une nappe intéressante.

Comment parvenir vous-même à détecter les entrecroisements de veines d'eau primaire ? Le meilleur moyen, bien sûr, est d'abord d'accompagner un radiesthésiste compétent ou de suivre des cours dans une école de radiesthésie spécialisée dans la prospection de l'eau.

Mais, si vous souhaitez apprendre, en autodidacte, certains indices naturels peuvent vous mettre sur la voie. Vous irez, bien sûr, vous promener dans la campagne et vous ne serez pas au bout de vos surprises. Vous constaterez avec étonnement qu'un grand nombre d'insectes, comme les fourmis, installent leur gîte justement au-dessus des parcours des courants d'eau souterrains, et souvent même à l'intersection de deux veines. Il semble qu'il en soit de même pour les termitières. Les abeilles sauvages aussi bâtissent leurs ruches au-dessus des failles terrestres où circule l'eau primaire.

Il n'y a pas que les insectes qui adoptent de tels comportements. J'ai fait les mêmes observations en interrogeant le pendule au-dessus de terriers de marmottes, de serpents, de blaireaux, de renards, etc.

Les daims semblent affectionner également les endroits sous lesquels coule l'eau primaire. Ne vous est-il jamais arrivé de vous promener dans une vallée de hautes herbes et de tomber sur la « forme » d'un daim ? L'herbe couchée garde l'empreinte de l'animal qui s'y est reposé. En principe, il y a toujours un courant d'eau primaire en dessous. Pendant la saison des amours, les mâles marquent leur territoire en urinant tout autour à des endroits très précis. Ces endroits sont surtout repérables en automne, là où l'herbe brûlée laisse apparaître la terre nue. Les radiesthésistes en concluent que là se trouvent des dômes d'eau primaire.

Avez-vous un chat chez vous ? Si oui, je suppose qu'il y a un ou deux endroits où il aime particulièrement s'installer. Ces lieux de prédilection sont également très souvent des indications qu'il y a de l'eau dans le sous-sol. Une nuit que je dormais chez des amis, le chat de la maison insista pour venir me rejoindre et s'enrouler au pied du lit, sur ma droite. Le matin, je sortis mon pendule : c'était l'endroit exact sous lequel se croisaient, sous la maison, deux courants d'eau. Il faut croire qu'une telle proximité ajoute encore au bonheur ronronnant des chats !

Les plantes aussi ont parfois des affinités singulières avec les structures profondes de la planète. Certaines plongent leurs racines de préférence là où les fractures donnent passage à une eau primaire. C'est le cas du genévrier, dont les baies étaient distribuées par César à ses troupes avant la bataille. C'est d'ailleurs le premier buisson que l'on voit sur les terres anciennement cultivées qui retournent à l'état sauvage. J'ai aussi noté que les vesces poussent en cercle autour d'un dôme souterrain ; de même les pâquerettes forment des rondes charmantes autour des croisements de courants d'eau. Les champignons, quant à eux, semblent (et pour les mêmes raisons) effectuer des danses féeriques qui ne cessent de nous émerveiller.

Les grands arbres, s'ils ont suffisamment d'espace, poussent très haut et leurs branches s'épanouissent dans tous les sens à partir d'un tronc à la force colossale. Quelquefois, sans raison apparente, excepté celle de la présence d'un courant d'eau souterrain, les branches se mettent à pousser à la verticale, accomplissant un changement de direction de 90° par rapport au sens qu'elles avaient initialement pris. Un arbre peut ainsi prendre l'allure d'un énorme chandelier. C'est alors bien souvent le roi de la forêt, qu'il protège. Les Indiens les appelaient « les arbres de conseil », parce que le conseil des anciens se tenait sous leurs branches.

Peut-être connaissez-vous l'emplacement d'une source naturelle. Vous devez donc avoir repéré quelques indices en surface, parmi les plantes ou les animaux, de la présence souterraine d'une veine. Mais cette eau n'est pas nécessairement primaire. Vous en aurez le cœur net en vous livrant à l'exercice qui suit.

Rendez-vous à l'endroit qui vous intrigue et vous semble correspondre à l'emplacement d'une source. Prenez votre pendule et concentrez-vous : « C'est cela que je veux faire. Puis-je ? Dois-je ? Suis-je prêt ? » Puis demandez : « Y a-t-il ici une veine ou un dôme comme semble le révéler la cible que je regarde actuellement ? » (Vous pouvez remplacer la « cible » par le terme exact désignant le phénomène, la plante ou l'animal, etc.) Si la réponse est oui, *demandez : « Est-ce bien là la vérité ? » Si* oui, *procédez comme suit.*

Remémorez-vous l'ensemble des réactions pendulaires que vous connaissez, tout en approchant de la cible, le pendule étant en position de recherche *(virant ensuite à l'ellipse puis au cercle lorsque vous touchez la cible). Dites-vous : « Je cherche une veine d'eau primaire. » Puis commencez à marcher lentement autour de la cible. Si tout va bien, vous devez obtenir la réponse ellipse-cercle-ellipse au moins deux fois. Cela indique qu'il y a vraiment un courant d'eau sous la cible. Si les réactions pendulaires sont plus nombreuses, c'est qu'il y a plus d'un courant à cet endroit-là. Si vous avez six réponses similaires, par exemple, cela signifie que vous êtes en présence d'un croisement de trois veines. Si vous obtenez un nombre impair de réponses, disons cinq, c'est que vous tournez autour d'un dôme d'où sortent cinq veines.*

Dans le précédent chapitre, je mentionnais que le sens de la giration pendulaire n'avait pas d'importance. Mais les courants d'eau souterrains étant chargés négativement (yin), il est possible que votre pendule adopte le sens inverse des aiguilles d'une montre pour rendre compte de la charge électromagnétique de la cible qu'il a détectée. Du zèle amical...

Renouvelez l'expérience plusieurs fois pour bien maîtriser le processus. Éloignez-vous, par exemple, et recommencez l'opération pour voir si le pendule vous ramène bien au même endroit. Trouvez-vous alors le même nombre de veines ?

Pouvez-vous suivre l'une d'elles ? Tenez-vous juste au-dessus, le pendule en position de recherche : « Dans quelle direction va-t-elle ? »

L'axe pendulaire va le déterminer. Suivez le mouvement. Si la veine fait un coude, l'axe va tourner lui aussi. C'est par le même procédé que vous pourrez suivre chez vous le tracé des conduites, des tuyauteries et autres canalisations.

LA RECHERCHE DE L'EAU POTABLE

Comme je l'ai déjà dit, la recherche de l'eau potable va devenir, à cause des ravages de la pollution, un problème crucial dans les années à venir. Les radiesthésistes vont être de plus en plus sollicités. Leur habileté ne pourra que rendre de grands services. Certes, c'est une technique difficile, vous avez pu le constater, qui demande des années d'efforts, d'expérience, d'erreurs et de persévérance. La survie de communautés entières dépendra probablement du talent de ces chercheurs apparemment insolites. Voici un exercice pour affiner votre sensibilité.

Tout d'abord, quand vous cherchez l'emplacement d'un puits, demandez toujours le croisement de deux veines (ou plus) d'eau primaire, potable, situées à moins de soixante-quinze mètres de profondeur et dont le débit s'élève à environ vingt litres par minute (c'est plus que suffisant pour un usage domestique normal), et ce toute l'année. Certaines sources sont très sulfureuses ou bien « ont du goût » (dû aux substances chimiques en suspension). Attention aussi à la profondeur (les travaux coûtent cher) et à la régularité (à quoi servirait un puits à sec tous les étés ?).

Procédez par direction et triangulation pour toucher la cible. Dénombrez les veines qui se croisent à l'endroit indiqué par le pendule. Ne creusez jamais (JAMAIS !) au-dessus du dôme lui-même. L'énorme pression atmosphérique qui existe à la surface de la Terre repousserait la tête du dôme jusqu'à ce que la pression de l'eau elle-même

L'eau primaire vient du cœur même de la planète en s'infiltrant à travers les fissures de l'écorce terrestre. Elle aboutit dans des culs-de-sac appelés dômes, réservoirs formés par la présence d'une couche imperméable. L'eau s'échappe alors par des galeries transversales (les veines) permises par les failles du terrain. Vus du dessus, le dôme et son réseau de veines ressemblent à une araignée.

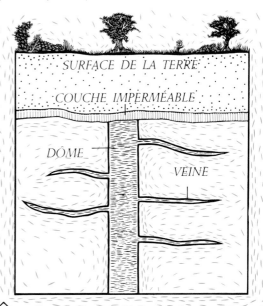

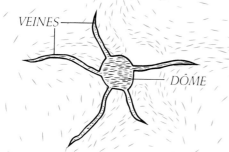

fasse s'engouffrer toute la poche dans des réseaux adjacents qui ne vous seraient plus accessibles. Il faudrait tout recommencer... et ailleurs !

Votre travail portera donc sur les veines qui sortent du dôme. Elles sont toujours en nombre impair. Cherchez un endroit où deux veines se croisent (à des profondeurs différentes) en forme de X.

Il est temps de déterminer la profondeur. Le pendule étant en position de recherche, demandez : « La première veine est-elle à plus de quinze mètres ? » Si oui : « A plus de trente mètres ? » Oui. « Quarante-cinq mètres ? » Non... Ouf !

Vous savez à présent que la première veine se situe entre trente et quarante-cinq mètres.

Si vous voulez plus de précisions en ce qui concerne la profondeur, affinez vos questions. Vous pouvez aussi utiliser la charte graduée de 0 à 100 : « Combien de mètres exactement jusqu'à la première veine ? » L'axe du pendule se promènera entre le 30 et le 45, et disons qu'il se fixera sur 41.

Avec la même technique, vous pouvez bien entendu trouver la profondeur de la seconde veine.

Il faut aussi déterminer le débit que le propriétaire du puits sera en droit d'attendre. Même principe : « Est-ce plus (ou moins) que cinq litres... dix litres... quinze... vingt... par minute ? » Allez jusqu'à ce que vous obteniez un non. Obtenez le chiffre exact de la même manière que vous avez découvert celui de la profondeur.

Vous pouvez à présent planter un piquet dans le sol pour indiquer au puisatier où il faudra creuser. Mais vérifiez toujours : « Est-ce le meilleur endroit pour creuser ce puits ? » Oui. « Est-ce là la vérité ? » Oui. Vous pouvez entreprendre les travaux.

Une dernière chose. Je ne saurais trop vous recommander de vous mettre en rapport avec un bon radiesthésiste. Il y en a un peu partout. Il existe également de nombreuses associations qui s'adonnent à cet art difficile. Renseignez-vous enfin auprès d'amis, de commerçants ou de librairies spécialisées, ou consultez les associations écologiques régionales.

Bien sûr, le succès n'est pas toujours la récompense de tant d'efforts. Mais que cela ne vous arrête pas. Si vous obtenez au moins 85 % de bons résultats, ce sera déjà plus que formidable. Quels services ne pourrez-vous pas rendre à la communauté, surtout dans les temps futurs !...

D'AUTRES POSSIBILITÉS POUR LA RADIESTHÉSIE

Les radiesthésistes peuvent étudier et trouver n'importe quoi. Aux États-Unis, par exemple, le nombre de municipalités faisant appel à des radiesthésistes sachant manipuler les baguettes pour trouver les conduites et les fils électriques augmente régulièrement.

Il est intéressant de noter que, généralement, ces municipalités ne considèrent pas ce genre de travail comme de la radiesthésie !... Les responsables disent simplement que leurs employés savent bien se servir des baguettes, et c'est tout. Le fait est que les baguettes (en forme de L) permettent de découvrir rapidement les conduites d'eau ou de gaz des villes, là où les plans n'existent plus. Vous pouvez faire la même chose avec le pendule.

Certains radiesthésistes utilisent de préférence le pendule lorsqu'ils partent à la recherche de cristaux, de minéraux ou de fossiles. Je m'en sers personnellement pour déterminer le nombre de personnes présentes dans une réunion, une assemblée, une manifestation... Et vous saurez fort bien, quant à vous, définir d'autres applications quotidiennes.

Vous pouvez par exemple entreprendre une promenade dans les bois et demander à votre pendule de vous faire rencontrer des animaux rares. Ou faire appel à lui pour parvenir (enfin !) à pêcher une belle truite dans un étang...

Vous savez qu'il y a dans cet étang une truite énorme qui vous intéresse. Le premier lancer doit être le bon. Mais où se trouve le poisson ? Servez-vous de l'appât comme d'un pendule au bout de votre canne à pêche. Suivez l'axe dans la direction donnée et lancez !

Certains de mes amis se sont spécialisés dans les fuites d'eau ou de gaz au niveau des conduites souterraines. Ils parviennent à repérer les endroits où il y a coupure ou bouchon. Ils localisent d'abord l'emplacement de la conduite, puis ils la suivent jusqu'à l'endroit où a lieu la fuite ou le blocage. Essayez, vous aussi.

Tâchez de découvrir près de chez vous une conduite souterraine. Suivez-la en cherchant l'axe du pendule. Demandez où se trouvent les joints. Suivez la conduite en position de recherche : *chaque fois que vous approchez d'un joint, le pendule commencera à effectuer des mouvements giratoires. Quand il formera un cercle parfait, vous serez juste au-dessus d'une jonction. Dressez la carte des informations relevées et conservez-la. Cela pourra vous être utile un jour. Lorsqu'un incident se produit, aussi désagréable qu'une fuite, il est précieux de gagner du temps pour être en mesure d'intervenir au plus tôt.*

LES LIEUX SACRÉS — LES SITES ANCIENS

Vous êtes sûrement amateur de lieux ou de monuments historiques ou sacrés, marquant le passage de nos ancêtres. Partout dans le monde, on retrouve des signes, des inscriptions, des sources, des tumuli aux formes animales ou humaines, ou un rappel d'« êtres venus de l'espace », des sanctuaires creusés dans la roche et orientés vers le solstice ou l'équinoxe, etc. On ne compte plus, non plus, les cercles ou les alignements de pierres censés dispenser initiation ou guérison. Tous les peuples de la Terre ont ainsi indiqué l'emplacement des lieux sacrés. Aussi, je vous recommande une attitude digne du symbole. Si vous voulez capter le message de ces lieux, visitez-les avec amour et respect : ils vous raconteront toutes sortes de choses fabuleuses.

Vous pouvez d'abord détecter l'eau primaire qui coule sous un site : plus celui-ci est important, plus la source correspondante l'est aussi. Cela peut même être l'indication de la présence d'un dôme. L'eau souterraine est toujours yin (négative).

Dans les années 20, l'Anglais Alfred Watkins écrivit un livre intitulé *Sur la piste antique*, dans lequel il racontait comment il avait découvert les alignements des lieux sacrés à travers toute l'Angleterre : pierres levées, cercles mégalithiques, puits, tumuli funéraires de l'âge du bronze, collines fortifiées de l'âge du fer, flèches des églises anglo-saxonnes ou des cathédrales gothiques, etc. Les lignes tracées par ces sites à travers le pays se rejoignent en un endroit appelé « centrale d'énergie », composé lui-même d'au moins cinq sites sacrés, chacun possédant une source d'eau primaire. Ces centrales de forces se retrouvent sur tous les continents (j'en connais même qui sont situées en Antarctique).

Les centrales d'énergie, ou centrales de force, sont en principe yang (positives). Des rayons d'énergie yang d'une largeur d'un ou deux mètres partent de ces centrales à la surface de la Terre et, tels des méridiens ou des capillaires, « nourrissent » sous diverses formes les pays et leurs habitants. Sur les anciens sanctuaires se trouve toujours au moins l'une de ces centrales d'énergie (généralement sur le parcours de l'axe principal du site).

Si vous vivez près d'un site sacré, essayez de détecter une de ses centrales d'énergie. Demandez au pendule de désigner la plus proche. Longez le bord de cette ligne de forces. Que ressentez-vous ? Éprouvez-vous une sensation ou une réaction particulières ? Rendez-vous à présent sur l'autre bord (à un ou deux mètres de distance) et refaites la même expérience avec votre pendule.

L'énergie coule comme une rivière, et son flux a une direction précise. Vous pouvez la définir : « Dans quelle direction coule l'énergie ? » L'axe du pendule vous l'indiquera.

Le cœur énergétique du site est l'endroit où l'eau primaire (dôme ou veines) et les lignes de forces se croisent. C'est l'endroit principal qu'il faut localiser sur tout site sacré. Certains de ces sites ont même plusieurs centrales d'énergie.

En prospectant sur l'énergie d'un site, vous pénétrez directement dans le monde de l'intangible. Vous pouvez d'ailleurs effectuer ce même travail au pendule avec une simple carte. Mais admettez que vous ne pouvez pas appréhender cette énergie au moyen de vos cinq sens, ni même avec les mouvements d'aiguille d'un instrument sophistiqué quelconque.

Lorsque j'approche avec mon pendule d'une centrale d'énergie, la première chose que je ressens est une vibration spéciale de l'air au niveau de ma nuque. Puis le pendule passe de l'ellipse au cercle, mais sa vitesse de rotation devient telle qu'il se trouve finalement à l'horizontale, c'est-à-dire parallèle à la surface de la Terre ! L'augmentation de la vitesse de rotation du pendule peut donc servir d'échelle de valeurs : elle indique que les énergies sont de plus en plus puissantes.

Souvenez-vous, cependant, qu'il existe autant d'approches possibles d'un site sacré qu'il y a de radiesthésistes. Chacun appréhende ce type de cible intangible de manière légèrement différente. Essayez donc de définir la vôtre sur le terrain. Votre intuition vous fera découvrir des choses étonnantes.

Au cours de ce chapitre, nous avons donné la vedette à ce qu'on appelle l'« eau primaire » et aux moyens de la détecter. Nous avons aussi étudié brièvement d'autres possibilités offertes par la radiesthésie, cette science qui nous vient du fond des âges, notamment appliquée à la prospection des sites antiques et de leurs centrales d'énergie, qui, en fait, rendent ces lieux sacrés.

Au fur et à mesure de vos progrès, vous découvrirez par vous-même maintes autres applications ; elles ne manqueront pas de vous étonner ou de vous émerveiller. Mais j'insiste sur les exercices qui vous permettront de localiser des sources d'eau primaire : en fait, c'est la base ! Si vous passez maître dans ce type de prospection, tout le reste vous semblera plus facile. En outre, l'avenir confirmera certainement, hélas, l'intérêt que vous devrez porter à cette technique.

CHAPITRE 5

LES AUTRES OUTILS DE LA RADIESTHÉSIE

Sachez d'abord qu'il existe différentes sortes de pendules. Celui qui est de forme hexagonale (une masse se terminant par une pointe, comme celui qui est inclus dans ce coffret) couvre parfaitement tout le travail sur charte.

Une variante intéressante est le pendule creux, qui se dévisse, ce qui permet d'y introduire des témoins des matériaux recherchés. Si vous prospectez pour trouver du pétrole, vous pouvez y faire tomber quelques gouttes d'essence. Si vous recherchez une personne, ce seront quelques cheveux trouvés sur sa brosse. Cette technique aide considérablement certains radiesthésistes à se concentrer. Mon sentiment est que, si vous êtes persuadé de la validité de cette technique, elle donnera d'excellents résultats avec vous.

D'autres pendules sont fabriqués en cristal ou même en bois. Il y a toujours des inconditionnels pour l'une ou l'autre matière comme pour des formes et des poids spécifiques (lourd et écrasé, ou léger et longiligne). J'en ai même eu un qui fonctionnait admirablement et que j'avais fabriqué en enroulant un caillou dans une racine de pissenlit !

Techniquement, un pendule est un poids équilibré pendant au bout d'un fil. Mais, en pratique, on peut varier les plaisirs. Il suffit de trouver l'instrument adéquat, correspondant bien à sa propre personnalité.

Voyons maintenant des baguettes (en forme de Y, rectilignes et en forme de L) et examinons leurs fonctions.

En fait, le pendule n'est pas le seul instrument utilisé en radiesthésie. Il existe quatre types ou classes d'instruments et le pendule en fait partie. Nous allons donc aborder à présent l'étude des autres outils de radiesthésie : les baguettes en forme de Y, le balancier (ou baguette rectiligne) et les baguettes en forme de L. Comme toujours, vous trouverez tout au long de ce chapitre des exercices conçus pour vous familiariser avec ces techniques.

Ces mains tiennent une baguette en forme de Y dans la position de recherche. Notez que les pouces se trouvent à l'extérieur. Ils peuvent aussi s'appuyer sur les deux extrémités — ou non — selon le confort que vous en retirez.

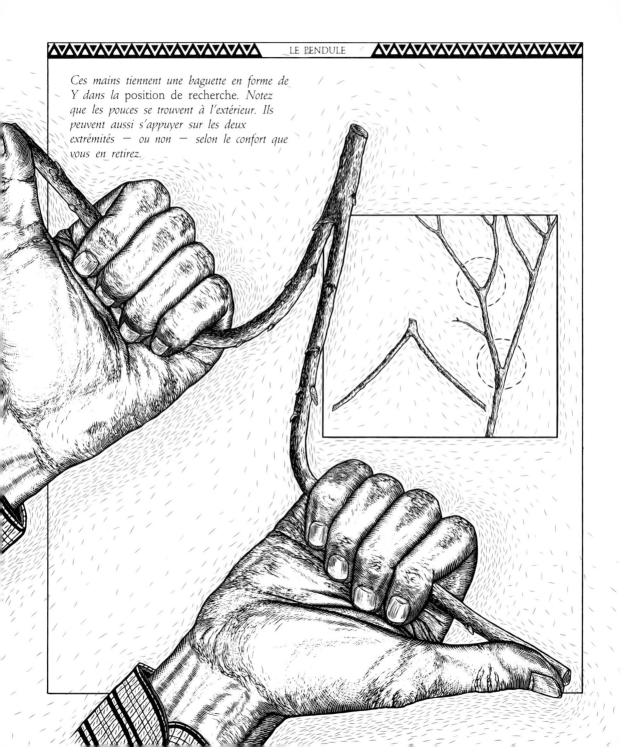

LA BAGUETTE EN FORME DE Y

Beaucoup de gens sont déjà familiarisés avec ce type de baguette. C'est l'instrument traditionnel des sourciers et des puisatiers. Il est taillé dans une fourche de branches de pommier, de saule, de cerisier ou même, actuellement, en... plastique. En fait, tous les jeunes bois flexibles peuvent faire l'affaire, du moment que la baguette est suffisamment souple pour que, lorsque vous touchez la cible, il vous soit impossible de la maintenir en *position de recherche*.

Pour vous exercer avec la baguette en Y, cherchez un arbre dont certaines branches ne soient pas plus épaisses que votre petit doigt. Repérez une fourche dont les bras soient à peu près équilibrés. Ne coupez pas une fourche là où un des bras s'écarte de l'autre à 90° : les deux bras doivent se séparer de manière semblable de leur tronc commun. Coupez cette branche à environ 5 cm en dessous du fourcher, puis les bras, qui devront mesurer environ 45 cm.

La baguette en Y ne donne que deux réponses : position de recherche *et « C'est ici ».* La position de recherche *est celle qui consiste à retenir les deux bras de la fourche avec vos mains, paumes tournées vers le ciel et pouces vers l'extérieur. La pointe de la baguette, elle, est tournée vers le haut. Vous* savez que vous êtes en *position de* recherche *lorsque la pointe de la baguette se balance vers l'avant (ou vers l'arrière), avant d'effectuer une plongée vers le sol. Observez vous-même son comportement avec vous.*

Essayez de sentir la baguette travailler pour vous. *Étendez, par exemple, une longue corde par terre, devant vous, transversalement. Restez debout et tenez la baguette en* position de recherche*, les pouces bien à l'extérieur. Dites-lui : « Je veux que tu t'abaisses lorsque je traverserai la corde, et que tu pointes directement vers elle. »*

Marchez lentement vers la corde et notez que, bien avant d'avoir atteint la corde, vous pouvez sentir la baguette irrésistiblement attirée par elle. Parfois, votre instrument essaie littéralement de vous échapper des mains en se tordant.

Si cela ne fonctionne pas de façon aussi spectaculaire pour une première fois, recommencez en vous concentrant sur ce que vous demandez à la baguette. Sinon, comme pour le pendule, au début, aidez-la : marchez sur la corde et faites pointer vers elle le nez de la baguette. Répétez l'opération. Imprégnez et la baguette et vous-même de la réponse que vous attendez.

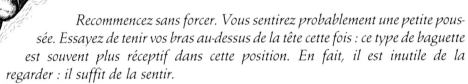

*Recommencez sans forcer. Vous sentirez probablement une petite pous-
sée. Essayez de tenir vos bras au-dessus de la tête cette fois : ce type de baguette
est souvent plus réceptif dans cette position. En fait, il est inutile de la
regarder : il suffit de la sentir.*

*Si vous n'obtenez toujours pas de résultat, refaites chaque jour cet exercice pendant
une semaine (vous devez progresser), ou bien consacrez vos efforts pour quelque temps
aux autres types de baguettes. Tous les outils de radiesthésie ne sont pas valables pour
tous les adeptes.*

J'ai une préférence pour les baguettes qui tournent non pas vers moi, mais
vers l'extérieur, car les premières peuvent être dangereuses (et vous griffer),
et parce que ce type de mouvement peut aussi bien indiquer *ici* que la direction
à prendre. Si je suis perdu dans les bois, il me suffit de couper une fourche
et de la questionner : « Où se trouve ma voiture ? » La baguette en *position
de recherche* tourne lentement sur elle-même, tel un doigt cherchant à pointer
dans la bonne direction ; puis elle plonge, dès qu'elle a repéré la cible.

La baguette en Y est l'instrument privilégié des sourciers et des puisatiers.
Sa réponse est toujours d'une évidence remarquable : le mouvement qu'elle
effectue est très prononcé, et semble parfois vouloir vous entraîner dans son
sillage !

Comme je crois à l'imminence d'une pollution massive des nappes phréatiques, il me semble très important, sinon impératif, de posséder cette technique des baguettes, afin de prospecter et de trouver de nouvelles sources
d'eau primaire. Je ne souhaite qu'une chose, c'est que de plus en plus de

Une baguette rectiligne, ou balancier, peut être fabriquée à partir d'une petite branche d'arbre ou d'un tronçon de canne à pêche. On la tient par le bout le plus mince, soit d'une main, soit des deux mains, selon le poids et la longueur de l'instrument. Les baguettes les plus lourdes répondent oui *par un mouvement balancé de haut en bas, et* non *par une flexion de droite à gauche.*

gens sachent « pratiquer », entre autres explorations radiesthésiques, celle qui consiste à détecter l'eau potable ! Exercez-vous sans relâche.

LA BAGUETTE RECTILIGNE OU BALANCIER

Cet instrument était à l'origine employé par les sourciers et les prospecteurs de pétrole. Il peut revêtir plusieurs formes, mais il s'agit le plus souvent d'une branche d'arbre ou d'un morceau de canne à pêche tenu par le « mauvais » bout, c'est-à-dire par l'extrémité la plus mince. Voici comment procéder.

Trouvez en bordure de route ou de champ un arbre dont vous couperez une branche d'environ 1 mètre de long. Tenez cette branche d'une main, ou des deux, par le bout le plus effilé, l'autre extrémité étant dirigée légèrement vers le haut.

Oui est indiqué par un mouvement de haut en bas, et non *par un mouvement latéral. Essayez : «* Montre-moi oui *! » Si elle ne répond pas, forcez-la en amorçant le mouvement : «* Ceci est oui. *» Pareil pour le* non *: le mouvement de haut en bas doit progressivement faire place au mouvement latéral.*

Si vous connaissez l'emplacement des conduites d'eau de votre demeure, imaginez avec votre « œil intérieur » celles qui doivent se trouver dans le jardin (et dont vous ignorez l'emplacement). Rendez-vous sur les lieux présumés avec votre baguette en position de recherche.

Au fur et à mesure que vous en approcherez, la baguette commencera à frémir puis à s'agiter (sautillements, balancements), pour finir dans un mouvement d'une amplitude qui ne laissera plus de doute : vous serez juste au-dessus d'une conduite d'eau. Dépassez la conduite, et les soubresauts de la baguette iront en diminuant (même principe que pour l'ellipse-cercle-ellipse, avec le pendule) jusqu'à revenir en position de recherche.

Retournez à présent au-dessus de la conduite d'eau. Essayez de déterminer à quelle profondeur elle se situe. Commencez à faire se balancer la baguette de haut en bas. Admettons que la conduite soit à 1,25 m sous terre. Dites : « Je veux savoir à quelle profondeur se trouve cette conduite. » En commençant lorsque la baguette a le nez en bas, comptez 10 centimètres par battement : « Se trouve-t-elle à plus de 10 centimètres ?... A 20 centimètres... A 30 centimètres ? etc. ». Continuez jusqu'à ce que la baguette arrête ses hochements pour amorcer le mouvement latéral. Vous savez alors que la conduite se situe entre les deux derniers chiffres : « Plus de 1,20 m ? » Oui. « Plus de 1,30 m ? » Non. Vous pouvez préciser le chiffre en recommençant la même opération centimètre par centimètre entre 1,20 m et 1,30 m. La baguette piquera du nez jusqu'à 1,25 m et indiquera non pour 1,26 m. Résultat clair.

Cette technique vous permettra de localiser aussi bien des câbles, la hauteur du plafond, celle de la cave, la profondeur d'un souterrain, etc. Bref, tout ce qui est du domaine des chiffres.

J'ai connu un Australien qui utilisait comme baguette une scie à bois ! Il devait la serrer fortement pour qu'elle ne lui saute pas des mains lorsqu'il s'approchait d'un point d'eau. Bien sûr, elle ne pouvait que pointer vers le sol ; sa rigidité lui interdisait le mouvement latéral (la réponse *non*), mais cet homme formulait ses questions de telle sorte que son instrument n'ait à répondre que par *oui* ; sinon, il ne bougeait pas.

Aux États-Unis, les chercheurs de pétrole utilisent de préférence le balancier, qui donne d'excellents résultats. Grâce à cet ustensile, les prospecteurs obtiennent rapidement la profondeur des gisements et toutes les informations exprimées sous forme de chiffres. En vérité, les puisatiers et les « pétroliers » ne jurent que par le balancier !

LES BAGUETTES EN FORME DE L

Je dis *les* baguettes en forme de L, parce qu'elles sont le plus souvent au nombre de deux, généralement fabriquées à partir de deux cintres découpés et glissés dans des manchons en plastique.

Essayez de fabriquer vous-même ces baguettes. Prenez deux cintres en fil de fer. Coupez-les avec des tenailles d'abord d'un côté, juste au-dessous du col, puis, comme sur la figure, à l'angle opposé juste après le coude, sur la barre transversale. Vous obtenez deux fois deux bras d'inégales longueurs que vous étirez pour qu'ils forment un angle de 90° (et qu'ils prennent la forme du L majuscule). Coupez à présent une paille en plastique de sorte qu'elle soit un peu plus courte que le bras métallique le plus court. Glissez le bras court du L dans la paille et assurez-vous que ce bras peut tourner en toute liberté. Recourbez l'extrémité de ce bras pour l'empêcher de ressortir du manchon. Très important *: arrondissez également le bout du bras le plus long afin d'éviter tout accident !*

Retournez vers la conduite d'eau de l'exercice précédent. Tenez vos coudes pliés et, dans vos mains, les manchons. Ne touchez pas le métal. Les branches les plus longues de l'instrument sont pointées vers l'avant, parallèlement l'une à l'autre : c'est votre position de recherche.

Si vous tordez vos poignets vers l'intérieur, les deux branches métalliques peuvent venir se croiser en X devant votre poitrine ; si vos poignets se tordent vers l'extérieur, les branches s'écarteront l'une de l'autre. En l'occurrence, l'équilibre est assez instable. Aussi, gardez conscience de la position de vos poignets et ne serrez pas non plus les poings.

« Je veux que les baguettes s'écartent de plus en plus au fur et à mesure que j'approcherai de l'emplacement de la conduite d'eau. » Marchez lentement et observez les baguettes jusqu'au moment où elles seront tout à fait à l'opposé l'une de l'autre.

Si vous n'avez pas obtenu de réaction, faites l'exercice autant de fois qu'il le faudra. Éventuellement, tenez les baguettes en l'air dans une position limite, de sorte qu'elles

On fabrique des baguettes en forme de L en sectionnant, comme sur cette figure, deux cintres en fil de fer relativement épais. Tordez le métal afin d'obtenir des angles droits (la forme L). Une grosse paille sert de manchon dans lequel vous enfilez la partie la plus courte des baguettes. Certains radiesthésistes préfèrent s'en passer.

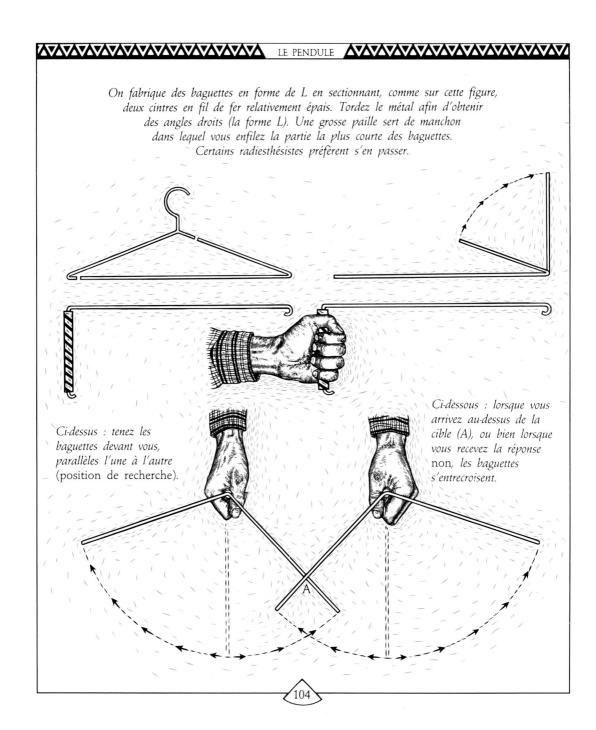

Ci-dessous : lorsque vous arrivez au-dessus de la cible (A), ou bien lorsque vous recevez la réponse non, les baguettes s'entrecroisent.

Ci-dessus : tenez les baguettes devant vous, parallèles l'une à l'autre (position de recherche).

A

tombent de côté sitôt que vous les montez encore d'un cran. C'est la position la plus sensible pour ce type d'instrument.

Sinon, montrez *aux baguettes ce que vous désirez trouver. Mettez-les en* position de recherche *et marchez vers la conduite d'eau. Lorsque vous approchez de la cible, faites pivoter vos poignets vers l'extérieur, les baguettes suivront. Répétez l'opération en disant :* « J'approche de la conduite, et je veux que vous pivotiez comme cela. »

Refaites l'exercice en marchant cette fois au-dessus de la conduite d'eau et en faisant pivoter vos poignets vers l'intérieur : « Je suis sur la conduite et je veux que vous fassiez comme cela, c'est-à-dire que vous formiez un X devant moi. » *Le X marque alors le centre de la cible.*

A noter cependant que, pour la plupart des radiesthésistes, c'est l'ouverture qui signifie oui, *le X qui veut dire* non *et le parallélisme qui est la* position de recherche.

Essayons à présent de trouver la direction *au moyen des baguettes en L. Prenez en fait une seule de ces baguettes et tenez-la en* position de recherche. *Imaginons que vous cherchiez dans la rue le plus proche lampadaire. Tournez sur vous-même en piétinant sur place. Au premier lampadaire qu'elle localisera, votre baguette s'immobilisera. Même si vous continuez personnellement à tourner, elle gardera la pose, et seul le manchon suivra votre mouvement. Cette technique permet de trouver le nord, comme avec une boussole, ou de répondre à ce type de question :* « Je suis perdu en montagne. Où se trouve le poste de secours le plus proche ? » *Votre intuition, au moyen de cette baguette, vous y mènera infailliblement. Même si les sentiers vous font louvoyer, la baguette conservera imperturbablement le même axe.*

Les baguettes en forme de L sont idéales pour explorer le sous-sol, suivre le cheminement des fils ou des canalisations, et déterminer dans quel sens ils progressent. Quand vous approchez d'eux, observez comme les baguettes s'écartent l'une de l'autre. Lorsque vous êtes dessus, les deux baguettes se retrouvent dans les deux sens opposés, indiquant par là même la direction de la canalisation en amont et en aval. Si vous approchez de ce type de cible en observant une position oblique, notez que l'une des baguettes s'écarte beaucoup et l'autre seulement un peu, donnant ainsi la ligne que suivent les fils ou les canalisations.

Chaque instrument de radiesthésie a donc, en quelque sorte, sa spécialité. Le pendule répond rapidement par *oui* ou par *non.* La baguette en forme de

Y localise avec précision ; le balancier détermine les distances ; les baguettes en forme de L indiquent les directions. Mais chaque outil peut servir à tous ces types de recherches. Cela dépend du goût ou de l'affinité du radiesthésiste qui emploie l'un ou l'autre de ces instruments.

Le choix n'importe donc pas a priori. L'essentiel est de trouver le ou les outils qui fonctionnent bien avec vous. Il ne faut pas négliger le rapport affectif qui va obligatoirement s'établir entre vous. Si vous obtenez de bons résultats, cela signifie que vous êtes serein et détendu, mais que, dans le même temps, votre instrument, lui, travaille comme un forcené, c'est-à-dire comme s'il était vivant !...

Le pendule apparaît comme un être qui se meut indépendamment de vous ; la baguette en Y a une vie propre, cela est évident, et parfois elle réagit de façon tout à fait inattendue. Cela ne manquera pas de vous étonner lorsque vous la sentirez frémir comme un chien de chasse reniflant le gibier, alors que vous-même ne soupçonnez en rien la proximité de la cible convoitée. Ce sont les réactions mêmes de votre baguette, bondissant littéralement en avant, qui vous mettront le nez sur l'objet. Le balancier, quant à lui, se tord, saute, accomplit des « danses » inimaginables. Vous en resterez pantois ! Les baguettes en forme de L ont également des façons bien à elles de réagir, n'hésitant pas, par exemple, à s'ouvrir contre un vent à guillotiner tous les clochers alentour !

Revenons à notre pendule. Avez-vous fait et refait tous les exercices de base ? Surtout ne perdez pas la main. Vous avez constaté que cette discipline impliquait patience et constance : ne gâchez pas les résultats acquis avec effort par simple négligence. Nous arrivons à la fin de notre étude et vous avez en votre possession toutes les clés pour devenir un bon radiesthésiste. Ne perdez ni courage ni confiance. Reprenez les premiers exercices : mettez votre pendule en position de recherche *: le phénomène devrait à présent être immédiat et ample. Puis, demandez : « Montre-moi le oui », c'est-à-dire le positif, l'actif, le yang ; là aussi, le pendule doit se manifester avec rapidité, amplitude et évidence. Posez à présent la question concernant le* non, *c'est-à-dire le négatif, le passif (ou réceptif), le yin : le pendule doit donner de façon immédiate la figure qui correspond. Vous devez maintenant sentir le poids et la force des changements du* mouvement pendulaire : si vous pensiez au début que des frémissements inconscients des muscles de votre avant-bras présidaient à ces changements, aujourd'hui, l'expérience sensible vous assure du contraire. Cela seul devrait vous persuader de l'importance et de l'intérêt de la radiesthésie.

CHAPITRE 6

CONCLUSION

T erminons cet exposé par quelques considérations sur l'histoire de la radiesthésie et sur ses rapports avec la science (comment cette dernière la définit et la considère). Vous trouverez également dans ce qui suit quelques idées pour exercer votre habileté, notamment dans le domaine spirituel des formes-pensées ou encore dans celui de la radiesthésie sans instrument.

Histoire de la radiesthésie

Les origines de la radiesthésie se perdent dans la nuit des temps. Certains indices nous permettent de partir en conjectures sur l'identité des premiers peuples utilisateurs de cette technique. Les grottes du Tassili, dans le Sahara, sont recouvertes de graffitis dont certains sembleraient décrire une pratique de cet ordre, et ce aux environs de 6000 avant Jésus-Christ. On distingue, par exemple, une forme humaine tenant un bâton terminé par une fourche à deux pointes et dans une *position* que nous qualifierions aisément de *recherche*. D'autre part, on sait que, 2 000 ans avant Jésus-Christ, il existait un empereur chinois du nom de Yu qui était un grand radiesthésiste et qui, selon certains documents, partit en expédition vers l'est et traversa ce qui correspond actuellement aux États-Unis, pour atteindre finalement la côte ouest du Mexique.

Il est probable que la meilleure source d'information que nous puissions avoir sur les origines les plus lointaines de la radiesthésie est un passage (souvent cité par les radiesthésistes eux-mêmes) de la Bible. Le peuple juif fuyait l'Égypte en suivant Moïse à travers le désert du Sinaï. Les réserves

d'eau, de blé et de fruits s'étaient épuisées. La crainte et le mécontentement grandissaient. Dieu dit à Moïse (traduisez : Moïse « capta » le message divin) : « Prends ton bâton et rassemble le peuple, toi et ton frère Aaron, et dis au rocher qui est devant tes yeux de donner son eau. »

Aussi Moïse et Aaron rassemblèrent-ils le peuple, et Moïse se leva et leur dit : « Écoutez tous, gens rebelles ; pour vous, allons-nous faire jaillir de l'eau de ce rocher ? » Et Moïse étendit la main et frappa le rocher deux fois avec son bâton et l'eau jaillit en abondance...

Comme on peut le voir, c'est Dieu le premier qui a invité Moïse à ne pas utiliser le fameux bâton uniquement comme un appui pour la marche ; cela ne pouvait donc être qu'un bout de bois un peu spécial. Souvenons-nous que Moïse s'en était déjà amplement servi en Égypte lors de ses démêlés avec Pharaon. Ces événements furent relatés comme des « miracles », que l'on définit traditionnellement comme des faits ou effets apparus dans le monde physique mais défiant les lois de la nature. Selon la définition scientifique moderne desdites lois, la radiesthésie apparaît effectivement dans ses œuvres comme un miracle. Et Moïse était un très grand radiesthésiste.

D'autres indices révélant la pratique de la radiesthésie, mais en des temps moins reculés, nous viennent des rapports de l'Inquisition sur les persécutions et les exécutions des sorciers au Moyen Age et à la Renaissance. Le dernier bûcher s'éleva au cœur de l'Écosse calviniste, en 1728. Dans toute l'Europe, les gens pauvres ont toujours utilisé la radiesthésie comme instrument de diagnostic et de guérison. Si ces pratiques se voulaient secrètes, celles qui consistaient à trouver de l'eau ne purent jamais l'être : même les princes devaient y avoir recours s'ils voulaient étancher leur soif et celle de leurs chevaux. C'est la raison pour laquelle les sourciers survécurent à toutes les péripéties de l'Histoire, tandis que les radiesthésistes qui s'adonnaient à des recherches plus personnelles ou plus spirituelles étaient impitoyablement pourchassés. La connaissance était alors déjà une forme de subversion. Selon des études effectuées par des femmes telles que Monica Sjöö et Mme Starhawk, on compterait 9 millions de morts grâce aux bons soins de la Sainte Inquisition à cette époque. L'historien britannique Ronald Hutton, de l'université de Bristol, conteste ce chiffre et pense qu'il avoisinerait plutôt les 60 000 victimes. Mais, quel que soit le chiffre réel des martyrs de la pensée, le résultat fut le même, c'est-à-dire désastreux : l'Europe tout entière connut alors, et pour longtemps, un formidable recul de la pensée intuitive. Une chape de plomb inspirée par la terreur s'étendit sur le cœur et l'esprit des hommes.

Certains auteurs situent les débuts officiels de la radiesthésie dans les années 1600. Une Française, Martine de Bertereau, s'illustra dans la découverte de mines de charbon au moyen de la radiesthésie. Elle fut récompensée de ses bons offices par un emprisonnement à vie. C'est ainsi que la radiesthésie bénéficia à la science, mais pas au radiesthésiste ! Par la suite, ces techniques permirent de détecter les différents métaux utilisés au cours des siècles pour la fabrication des machines. L'utilité de la radiesthésie dans la prospection minière devint si flagrante qu'en fin de compte, et après bien des débats, l'Église ne put plus ni la critiquer ni l'interdire.

Au cours des années 1920 et 1930 fleurirent un peu partout en Europe des sociétés savantes dont le but avoué était d'encourager leurs membres à pratiquer l'art de la radiesthésie dans les meilleures conditions possibles. Cette éclosion des associations était très importante, car elle donnait fatalement un statut officiel à ce type de recherche et un certain crédit, tant auprès du public que des autorités, plutôt enclines à mépriser et à neutraliser ces pratiques.

Lorsque j'entrai à la Société américaine de radiesthésie vers la fin des années 60, les membres qui la composaient étaient surtout des hommes de 65 ans en moyenne. Aujourd'hui, les femmes y sont beaucoup plus nombreuses et elles s'illustrent souvent par des talents exceptionnels. C'est le cas de l'Anglaise Evelyn Penrose qui fut employée en 1931 par le gouvernement de Colombie britannique (Canada) comme prospectrice en chef pour tout ce qui concernait l'eau et les minéraux. Elle obtenait 90 % de résultats, et on ne compte plus les rapports enthousiastes que firent les fermiers et les éleveurs sur ses interventions lors de la recherche des courants d'eau. Non contente de ces succès, elle émigra vers 1950 en Australie, où elle continua à faire merveille auprès de tous les agriculteurs qui cherchaient des points d'eau dans un paysage souvent désertique.

Mais les temps modernes ne doivent pas oublier que la radiesthésie était appelée aussi, il y a bien longtemps, « divination ». Et, de fait, il y a quelque chose de « divinatoire » et de « divin » en relation avec cet art. On disait d'ailleurs aussi bien « sourcier » que « sorcier ». C'est là l'indication claire des origines profondes de la radiesthésie, du culte de la déesse, de la femme, du côté « intuition » de notre héritage.

Aujourd'hui, la radiesthésie tient ses assises dans tous les pays du monde, et ses congrès internationaux voient défiler des chercheurs de grande réputation, venant souvent de la science dit « officielle ». Des résultats de travaux, des rapports, des publications nombreuses et des échanges à haut niveau entre des savants de renom représentent actuellement une contribution essentielle à la promotion de la radiesthésie, que ce soit dans le secteur médical ou celui de la prospection du sous-sol. Vous trouverez en fin d'ouvrage quelques adresses utiles pour entrer en contact avec ces associations.

RADIESTHÉSIE ET SCIENCE

Quand on compulse les documents, il est évident que peu d'expériences scientifiques obtiennent des résultats lorsqu'elles s'attaquent à la radiesthésie. En 1906, le Pr Julius Wertheimer établit les bases de ce type d'expérience, ou test : sur le sol, devant le radiesthésiste, se trouvaient trois tuyaux ; chacun était raccordé à un réservoir d'eau. La question était : « Dans quel tuyau l'eau coule-t-elle en ce moment ? » Or, les radiesthésistes ne pouvaient pas répondre.

En 1970, le grand radiesthésiste K. W. Merrylees essaya de détecter la présence de bombes non explosées datant de la dernière guerre, dans un faubourg de Londres. Les résultats ne dépassèrent pas les chiffres du calcul de probabilités.

Bill Lewis réitéra le test de Wertheimer, avec des circuits électroniques au nombre de vingt-cinq. Mais quant à découvrir lequel était branché, là encore les résultats furent inférieurs à ceux de la chance, statistiquement parlant.

Fran Farrelly est peut-être l'une des plus formidables radiesthésistes de notre temps. Elle est américaine et vit en Floride. Elle collabore avec le Centre

(lunaire, solaire, et, plus rarement, stellaire). Ce dernier point implique l'étude d'une astronomie ancienne appelée archéoastronomie.

Ces trois facteurs communs — centrale d'énergie, géométrie sacrée et archéoastronomie — semblent agir comme des amplificateurs de choses telles que l'encens, le chant, les rythmes et les pratiques spirituelles. Ils augmentent les possibilités d'éveil de la conscience intuitive. Ils créent une chambre de résonance comparable à celle d'un instrument de musique absolument parfait. Tout est organisé pour que le « son » trouve ses correspondances et s'échappe non pas comme un son, mais comme une conscience spirituelle.

Un laboratoire scientifique est un espace de nature totalement différente. Il est installé pour favoriser la pensée rationnelle, linéaire. Il est prévu pour étouffer le subjectif et toute réaction imprévisible. Pas étonnant, donc, si la radiesthésie se trouve mise en échec dans un tel environnement ! Lorsque l'intuition est complètement cernée et contrôlée par des forces rationnelles, on imagine mal qu'elle puisse prendre librement son essor.

Toute expérience scientifique sur la radiesthésie me fait personnellement l'effet de me réduire à ce petit point noir perdu au milieu d'un océan de blanc, comme on le voit sur le symbole yin-yang du Tao chinois. Je me sens coupé de la source intuitive générale. Je me sens complètement impuissant.

Le lieu idéal pour une expérience sur la radiesthésie est bien évidemment un lieu sacré, c'est-à-dire l'antithèse même d'un laboratoire scientifique.

Plus pertinente serait sans doute la question suivante : « Pourquoi le talent du radiesthésiste qui, on le sait, est si évident pour nous disparaît-il aussitôt que nous utilisons des méthodes scientifiques pour convaincre autrui ? »

Une des définitions de la méthode scientifique est que l'expérience doit pouvoir se répéter de la même manière, où que ce soit, par qui que ce soit, du moment qu'entrent en jeu les mêmes éléments et les mêmes techniques. Or la radiesthésie ne fonctionne pas ainsi. D'abord, jamais à 100 % ; de plus, elle diffère d'une expérimentation et d'un expérimentateur à l'autre.

Je pense que vous avez compris, vous aussi, que la radiesthésie dépend du radiesthésiste. Nous sommes des êtres uniques, avec nos espoirs, nos besoins et nos niveaux de conscience : tous ces facteurs influencent la réponse.

Rappelez-vous d'Heisenberg et de sa définition de l'expérimentateur comme partie intégrante de l'expérience : cette vision des choses explique bien les échecs que les radiesthésistes rencontrent lorsqu'ils sont confrontés à la froide objectivité, pour ne pas dire à l'observation ironique ou hostile, du scientifique. L'observateur interfère, qu'il le veuille ou non, et, malheureusement, les résultats négatifs plaident en faveur de cette théorie.

Une partie du problème vient du fait que l'homme (mais pas nécessairement la femme) du XXᵉ siècle a délégué aux scientifiques le droit exclusif de définir la réalité ultime de ce monde. Les scientifiques sont devenus les nouveaux prêtres. Ce que vous ne pouvez ni goûter, ni voir, ni toucher, ni sentir, ni observer grâce aux agitations d'une petite aiguille dans un cadran n'existe pas ! Et si la science le dit, c'est sûrement vrai !

L'exploration de notre sens intuitif, de la radiesthésie et de ce que Jung appelle l'inconscient (ou le monde des archétypes) requiert une approche différente, qui n'ôte rien de sa valeur à la science, mais qui tente d'unifier science et intuition : l'humanisme analytique intégré à la spiritualité intuitive et créative.

Les techniques qui ont aidé tous les peuples à vivre directement et personnellement l'expérience de l'intuition ont été violemment combattues durant des siècles. Nous sommes donc totalement novices dans le domaine de la radiesthésie, pourtant millénaire ! Aussi, j'estime qu'à l'heure actuelle il est autant ridicule pour la science de « tester » comme elle le fait les radiesthésistes que d'appliquer les normes de l'équitation olympique à une enfant de 9 ans qui viendrait pour la première fois de sa vie de monter sur le dos d'un cheval ! En effet, la radiesthésie du XXᵉ siècle est encore tout simplement dans l'enfance.

Il s'agit d'une science non exacte. Elle exige d'abord une approche rationnelle, afin de procéder à la juste formulation de la question. Et, sur ce point, la science ne peut être que d'accord. Pourtant (renvoi de politesse), il serait temps que les sciences prennent la peine de se pencher sur les autres disciplines de l'esprit humain et étudient notamment la radiesthésie, collaborent avec ses spécialistes, apprennent à s'en servir, au lieu de sempiternellement essayer de prouver qu'elle existe ou n'existe pas ! Seul un mariage entre la science et l'intuition, l'objectif et le subjectif, autoriserait des résultats encore plus fabuleux que ceux que nous avons à ce jour connus. Les découvertes possibles en ce cas dépasseraient tout ce qu'on peut même imaginer.

LES FORMES-PENSÉES ET LA RADIESTHÉSIE

La pensée a une forme.

Faites-en vous-même l'expérience. Tirez un petit trait imaginaire avec votre doigt juste en face de vous. Prenez votre instrument de radiesthésie favori et mettez-vous au travail comme si vous aviez affaire à un cours d'eau. Les réponses doivent être alors similaires.

Une des preuves les plus simples de la puissance de la pensée est donnée lorsque, par exemple, un radiesthésiste recherche une réponse spécifique *à l'encontre même* de la vérité. En ce cas, de toute évidence, la propre forme-pensée du radiesthésiste a interféré. Nous en avons déjà parlé : le fait de souhaiter telle ou telle réponse conduit à cette réponse.

Il existe différentes manières de créer des formes-pensées. Tous les ans, les membres de la Société américaine de radiesthésie se réunissent dans les jardins du siège social à Danville, pour chercher notamment des points d'eau. On sait que toutes les expériences n'aboutissent pas systématiquement. Les débutants, surtout, peuvent parfois s'escrimer à chercher de l'eau là où il n'y en a pas. Mais leur pensée agit, crée des formes et imprègne les lieux de leur recherche. Certes, à Danville, il se trouve plusieurs sources souterraines, mais pas autant que le souhaitent ou l'imaginent tous ces amateurs qui défilent annuellement. Or, les plus chevronnés butent constamment sur des formes-pensées représentant des points d'eau tout à fait factices !

La colère est un sentiment qui peut créer de très puissantes formes-pensées. Par exemple, vous avez une violente dispute avec votre partenaire et vous décidez de rompre. Si, plus tard, vous retournez à l'endroit où s'est déroulée cette mémorable scène, le phénomène « colère », tel un nuage lourd, sera encore présent sur les lieux et empêchera toute tentative de réconciliation d'aboutir. Il faut alors brûler des feuilles de sauge sèches dans un récipient et le promener aux quatre coins de la pièce en vous concentrant sur la destruction de toute négativité : les formes-pensées de la colère se dissoudront. Vous aurez « nettoyé » le lieu (sachez que ce procédé fonctionne aussi merveilleusement pour les pièces où des gens ont été malades).

Pour les mimes, les formes-pensées ont une réalité encore plus criante. Mon ami Rob Mermin, élève de Marcel Marceau, en fit la douloureuse expérience. Un jour, sur une scène vide, il devait créer des murs dans l'espace, avec une gestuelle savante et appropriée ; il devait ensuite y jouer son spectacle. Sans y prendre garde, il « franchit » accidentellement un de ces murs invisibles : il s'y cogna en fait avec une telle violence qu'il fut projeté à l'autre bout de son espace... mental !

Les formes-pensées ont la vie longue. Il y a quelque temps, je me trouvais en Angleterre près de Buxton (Derbyshire), en train de suivre les lignes de force (alignements de sites sacrés) qui traversent Arbor Low, un de ces cercles de pierres mégalithiques couchées répertoriés comme des centrales d'énergie (dans ce type de cercle, il n'est pas du tout évident que les pierres aient jamais été levées). La ligne de force que je suivais n'était alimentée par aucune centrale d'énergie ! En fait, parmi la trentaine de lignes de force qu'on supposait présentes à Arbor Low, il n'en existait réellement que quatre !

Plus tard, je me rendis sur une tombe antique à Altwalk, au sud-est d'Arbor Low. L'axe principal du tombeau se dirigeait droit sur Arbor Low, mais je ne pus là encore y déceler aucune centrale d'énergie qui s'y raccordât. Je me suis alors demandé si je ne pouvais pas tenter de capter par la radiesthésie l'*intention* qu'avaient eue les constructeurs du tombeau de relier celui-ci au merveilleux cercle de pierres couchées ; et, de fait, je découvris une ligne de 1 mètre de large représentant le désir des gens de l'époque de se relier au nord-ouest, c'est-à-dire à Arbor Low. J'avais reçu un message d'une forme-pensée vieille de 4 000 ans.

Exercez-vous en demandant à un ami de créer en lui une forme-pensée quelconque. Cet ami doit être d'accord pour se concentrer avec clarté et éviter de sautiller dans tous les sens une fois la forme-pensée mise en place. Cela peut être n'importe quoi : un numéro, une image complexe et colorée, etc. Arrivé sur place, vous pouvez déjà essayer de situer au pendule l'endroit où se trouve la forme-pensée. Si vous vous en donnez la peine, vous pouvez même parvenir à décrire les contours de la forme-pensée : est-ce une pyramide ? Un cube ? Une sphère ? Une autre structure ? Voyez si vous pouvez *sentir* cela dans vos mains.

J'insiste sur un point : après toute expérience de ce genre, vous devez « nettoyer » le lieu de la forme-pensée qui vous a servi de cobaye : passez votre main au-dessus de la forme-pensée comme si vous effaciez quelque chose au tableau noir. Ce geste focalise votre intention de libérer la place. Sinon, vous retrouverez cette même forme-pensée dans cet endroit alors que vous chercherez autre chose.

Les pensées, émanations de l'esprit, sont aussi réelles que le présent livre. J'ai person-nellement placé une forme-pensée représentant un triangle juste dans un des angles de la charte mondiale qui nous a servi pour trouver les gisements de pétrole. Pouvez-vous repérer ce triangle ? La forme-pensée « triangle » plus un triangle dessiné donnent l'étoile de David à six branches. Pouvez-vous également la trouver ? Vérifiez la réponse en fin de volume (p. 126).

LA RADIESTHÉSIE SANS INSTRUMENT

Il existe des radiesthésistes qui n'utilisent ni pendule, ni baguettes, ni même des chartes. Sans rien dans les mains ni dans les poches. C'est qu'ils ont développé leur faculté d'emporter toujours leur instrument avec eux, c'est-à-dire intérieurement. Il est bien évident que ce type de radiesthésie ouvre le débat dans des dimensions qui dépassent largement le cadre de cette étude. Pourtant, l'exercice suivant peut vous donner quelques indications pour tra-vailler dans ce sens, si vous le désirez.

Lisez ce paragraphe, laissez ensuite le livre et faites l'exercice. Vous avez certainement dans la tête un écran sur lequel défilent vos rêves. Il se trouve juste au-dessus de vos yeux. Essayez d'y voir votre pendule en position de recherche, puis disant oui, puis disant non.

Il devrait être plus facile de « voir » les mouvements dans le cas où vous gardez les yeux ouverts, mais la vue légèrement floue. Ne regardez rien de précis, contentez-vous de « voir » le pendule. Mon oui est une giration vers la droite, et mon non une giration vers la gauche. J'imagine le signe du Bélier (♈) juste au-dessus de mes sourcils et je fixe mon attention sur sa base, là où les deux bras se rejoignent. Je pose la question, et, si mes yeux se portent vers le haut, à droite, la réponse est oui *; si c'est vers le haut à gauche, la réponse est* non. *La pierre de touche, encore une fois, est de se garder de tout désir parasite pour une réponse précise. Restez conscient de votre besoin de trouver telle ou telle réponse, mais faites en sorte que ce besoin n'interfère pas.*

Nombreuses sont les personnes qui, purs produits de l'éducation occidentale, éprouvent le pénible sentiment que quelque chose manque à leur existence. Dans notre recherche de la vérité, l'approche strictement rationnelle ne donne pas toujours satisfaction, et de plus en plus de gens aspirent à découvrir de nouvelles voies de connaissance, intuitives cette fois. Ce livre ne peut être pour vous qu'un début. Si vous avez trouvé quelque utilité au pendule, je vous encourage vivement à persévérer et à vous consacrer tous les jours davantage à ces techniques « mercuriennes », qui permettent d'aborder si différemment les problèmes de la vie. Je ne saurais trop vous conseiller également d'adhérer à l'une des associations qui se sont spécialisées dans ce type de recherche alternative.

Le pendule et les autres outils décrits ici peuvent vous aider à développer considérablement votre pouvoir intuitif. Ils seront de merveilleux compagnons de voyage sur le chemin qui mène à *votre* vérité. La radiesthésie n'est certainement pas la seule voie, mais tous les adeptes finissent par estimer qu'elle est un des meilleurs moyens, équilibré et efficace, de parvenir à ce but. J'espère sincèrement que cela deviendra pour vous aussi évident et clair... qu'une eau de sourcier !

BIBLIOGRAPHIE

Barbonneau, Bernard / Laflèche, Benoît / Martin, Roland Richard. *Traité de Géobiologie — Théorie et pratique.*

Baudouin, Bernard. *Comment pratiquer la radiesthésie.*

Belizal, A. de / Chaumery, L. *Essai de radiesthésie vibratoire.*

Belizal, A. de / Morel, P. A. *Physique micro-vibratoire et forces invisibles.*

Bersez et Masson. *Initiation aux ondes de forme : la médecine d'Asklépios.*

Brands, Gerry. *Etherapy. Utilisez vos dons guérissants.*

Charbonnel, J. / Gau. *Notions générales et pratiques de radiesthésie.*

Condé, B.G. / Caillet S. *Méthodes et pratiques radioniques selon les frères Servranx.*

Corrodi, Michel. *La radiesthésie, le pendule.*

Degueldre, Gilbert. *La radiesthésie, cet instinct originel.*

Grange, R.P. *Plantes médicinales de la flore amazonienne et du monde.*

Jurion, R.P. Jean. *Thérapeutique naturelle. Radiesthésie médicale, documentation.*

Jurion, R.P. *Thérapeutique naturelle. Médecine préventive infantile.*

Herrinckx, W. *Initiation à la radiesthésie médicale.*

Jurion, R.P. Jean. *Thérapeutique naturelle, homéopathie, conseils pratiques.*

Jonckheere, P. *Initiation à la radiesthésie psychique.*

Lacroix-à-L'Henri. *Manuel théorique et pratique de la radiesthésie.*

Lafaure, Henri-François. *Les Vraies Dimensions de l'homme.*

La Foye, Jean de. *Ondes de vie, ondes de mort.*

La Maya, Jacques. *La Médecine de l'habitat.*

Le Gall, Maurice. *Toute la radiesthésie en neuf leçons.*

Luzy, Antoine. *La Radiesthésie moderne.*

Masson, A. et A. *Les Appareils étranges ou la science des formes exprimées.*

Mermet, Abbé. *Comment j'opère pour découvrir, de près ou à distance, sources, métaux, corps cachés, maladies.*

Moine, Michel. *Radiesthésie — Le pendule et la baguette.*

Moine, Michel. *Le Guide de la radiesthésie.*

Muller, Helmut. *Pratique de la radiesthésie. Les fabuleux pouvoirs du pendule.*

Niel, J.B. *La Santé à la portée de tous.*

Pagot, Jean. *Le Caractère philosophique. Le laboratoire.*

Pagot, Jean. *Radiesthésie et émission de formes.*

Pencreach, Roger. *Vers une radiesthésie du troisième millénaire.*

Saint-Marc. *La Téléradiesthésie. Manuel pratique de radiesthésie.*

Servranx, F. *Vos débuts en radiesthésie.*

Servranx, F. et W. *La Radiesthésie appliquée aux affaires.*

Servranx, F. et W. *Matérialisations radiesthésiques.*

Servranx, J. *La Lecture du caractère au pendule.*

Tressel, P. *La Pratique de la radiesthésie.*

ADRESSES UTILES

Tous les ouvrages de la bibliographie sont disponibles à la *Maison de la radiesthésie* qui regroupe à Paris tous les ouvrages, appareils et adresses (de radiesthésistes ou d'associations) concernant aussi bien Paris que la province.

MAISON DE LA RADIESTHÉSIE
16, rue Saint-Roch, 75001 Paris
Tél. 42.60.41.84.

ASSOCIATIONS

Association des amis de la radiesthésie
    70, rue du Général-de-Gaulle, 95620 Parmain
    Tél. 34.73.00.15

G.N.O.M.A.
    12, rue de la Grange-Batelière, 75009 Paris
    Tél. 47.70.36.70

Syndicat national des radiesthésistes
    42, rue Manin, 75019 Paris
    Tél. 42.09.78.06

Fédération nationale des puisatiers, sourciers et radiesthésistes (F.N.R.)
    Siège social national : B.P. 52 — 13140 Miramas
    (Président M. Max Affre)

REVUES

Bulletin des amis de la radiesthésie

G.N.O.M.A. Revue française de vulgarisation thérapeutique naturelle

Monde inconnu

Troisième millénaire

INDEX

RÉPONSES AUX EXERCICES

Voici les réponses de l'exercice sur les gisements de pétrole : elles sont exprimées en coordonnées. Vérifiez avec vos propres résultats. Si vous n'avez pas trouvé ces mêmes coordonnées, ou du moins quelques-unes, recommencez l'exercice.

A1, B1, B2, C1, C2, C4, C5, D1, D2, D3, D4, D5, D6, D7, E2, E3, E4, E5, E6, E7, F1, F4, F5, F6, F7, F8, F9, F10, G2, G3, G4, G7, G8, G10, G11, G12, G13, H2, H4, H8, H11, H12, H13, I9, I10, I11, I12, K1, K2, K4, K5, K6, K7, K8, L2, L3, L4, L5, L8, M1, M2, M3, M4, M5, M9, M10, M11, N1, N4, N5, N6, O1, O3, O4, O5, O6, O8, O9, O10, O11, P1, P5, P6, P7, P8, Q1, R1, R5, R7, S1, S3, S4, S6, T1, T2, T6, T7, T8, U1, U2, U3, U4, U5, U6, U7, U8, U9, U10, U11, V1, V2 ,V3, V4, V8, V9, V11, V12, W8, W9, W10, W12, X8, X9, X10, X12, X13, Z12.

La réponse correspondant à votre recherche de l'étoile à six branches est : L7.

L'AUTEUR

Sig Lonegren étudie les sites sacrés depuis la fin des années 60 et il a passé un diplôme sur les espaces sacrés, c'est-à-dire sur les centres spirituels d'avant la Réforme. Il est l'auteur de *Earth Mysteries Handbook (Manuel des mystères de la Terre)*, où il est question de géométrie sacrée, d'archéoastronomie et de radiesthésie, et de *Spiritual Dowsing (La Radiesthésie spirituelle)*, où la radiesthésie est étudiée comme instrument utile aux recherches médicales et de terrain (notamment pour trouver les centres d'énergie des sites sacrés). Il a longtemps été administrateur de la Société américaine de radiesthésie, dont il a également dirigé, pendant plusieurs années, l'école. Quoique domicilié dans le Vermont, aux États-Unis, Sig Lonegren passe énormément de temps dans le pays du roi Arthur, à Gladstonbury en Angleterre. Depuis quelques années, il collabore dans cette région avec de nombreux chercheurs britanniques et il n'a pas peu contribué à certaines découvertes importantes sur ce qu'il appelle les mystères de la Terre. Actuellement, avec une association du nom de Oak Dragon (Le dragon de chêne), il se penche sur des sujets aussi divers que la musique et la danse, l'astrologie, la guérison, la créativité, le cérémonial et le passé lointain de la Grande-Bretagne.

international de recherches de Stanford (Californie), spécialisé dans les recherches sur les possibilités du psychisme, notamment dans la découverte par le travail psychique (traduisez : la médiumnité) de lieux ou d'événements inconnus à ce jour. Certains sujets sont en effet parfaitement aptes à « voir » et à décrire des scènes avec une précision remarquable, mais peu de gens peuvent situer ces scènes dans le temps et l'espace. Fran proposa de faire intervenir la technique de la radiesthésie et se livra, en même temps que de nombreux autres adeptes volontaires, à une série d'expériences pour parvenir à localiser sur une carte des objets ou des personnes. Les résultats furent plus que décevants.

Bien d'autres expériences, ici ou là, furent tout aussi décevantes.

Pourquoi, en ce cas, des radiesthésistes de très haut niveau risquent-ils leur réputation uniquement pour prouver scientifiquement que la radiesthésie existe, alors qu'ils *savent*, et fort bien, que cela échouera ?

Tout le monde constate en effet que, dès que le projecteur de l'expérience scientifique se braque sur ce phénomène, rien ne va plus. Bien sûr, on connaît des exceptions. Le Dr Harvalik, professeur de physique à l'université d'Arkansas et conseiller du Pentagone pour tout ce qui a trait à l'armement sophistiqué, publia les résultats de ses travaux personnels en ce domaine. Il pouvait créer des champs magnétiques en envoyant certaines fréquences dans le sol. Il découvrit que 90 % des gens qu'il testait étaient capables de détecter un changement inférieur à une demi-unité gamma. Le radiesthésiste allemand Wilhelm De Boer pouvait même détecter un champ magnétique deux millions de fois plus faible que celui de la Terre (qui est déjà relativement faible) ! Malheureusement, le Dr Harvalik apparaît comme une exception.

J'ai passé moi-même un diplôme sur les « espaces sacrés » : mes études portaient sur les sites sacrés construits avant la Réforme. Ces sites, dispersés dans le monde entier, sont en apparence très différents : la grande pyramide d'Égypte, Chartres, Stonehenge, les tumuli des anciens Indiens d'Amérique, Angkor-Vat, etc. Or, ces lieux prestigieux ont des similitudes étonnantes. Ils sont tous construits sur de puissantes centrales d'énergie et respectent certains principes géométriques réunis dans ce que l'on nomme la « géométrie sacrée » ; ils sont également orientés vers un élément céleste important